Antoine Volodine est né en 1949. Il a publié une quinzaine de livres qui fondent le « post-exotisme », univers littéraire parallèle où onirisme, politique et humour du désastre sont le moteur de toute fiction. *Des anges mineurs* (1999) lui a valu le prix Wepler et le prix du Livre Inter 2000. Après avoir enseigné la littérature russe, qu'il traduit également, il se consacre entièrement à son œuvre. Il a écrit plusieurs textes pour la radio (France Culture) et sa construction romanesque est aujourd'hui riche d'une trentaine de titres. Il vit à Orléans et voyage souvent en Orient (Macao, Hong Kong). En 2014, son roman *Terminus radieux* a reçu le prix Médicis.

Antoine Volodine

DES ANGES MINEURS

NARRATS

Éditions du Seuil

TEXTE INTÉGRAL

ISBN 978-2-02-044461-3
(ISBN 2-02-037478-1, 1re édition)

J'appelle narrats des textes post-exotiques à cent pour cent, j'appelle narrats des instantanés romanesques qui fixent une situation, des émotions, un conflit vibrant entre mémoire et réalité, entre imaginaire et souvenir. C'est une séquence poétique à partir de quoi toute rêverie est possible, pour les interprètes de l'action comme pour les lecteurs. On trouvera ici quarante-neuf de ces moments de prose. Dans chacun d'eux, comme sur une photographie légèrement truquée, on pourra percevoir la trace laissée par un ange. Les anges ici sont insignifiants et ils ne sont d'aucun secours pour les personnages. J'appelle ici narrats quarante-neuf images organisées sur quoi dans leur errance s'arrêtent mes gueux et mes animaux préférés, ainsi que quelques vieilles immortelles. Parmi celles-ci, une au moins a été ma grand-mère. Car il s'agit aussi de minuscules territoires d'exil sur quoi continuent à exister vaille que vaille ceux dont je me souviens et ceux que j'aime. J'appelle narrats de brèves pièces musicales dont la musique est la principale raison d'être, mais aussi où ceux que j'aime peuvent se reposer un instant, avant de reprendre leur progression vers le rien.

1. ENZO MARDIROSSIAN

Inutile de se cacher la vérité. Je ne réagis plus comme avant. Maintenant, je pleure mal. Quelque chose a changé en moi autant qu'ailleurs. Les rues se sont vidées, il n'y a presque plus personne dans les villes, et encore moins dans les campagnes, les forêts. Le ciel s'est éclairci, mais il reste terne. La pestilence des grands charniers a été lavée par plusieurs années de vent ininterrompu. Certains spectacles m'affligent encore. D'autres, non. Certaines morts. D'autres, non. J'ai l'air d'être au bord du sanglot, mais rien ne vient.

Il faut que j'aille chez le régleur de larmes.

Les soirs de tristesse, je me replie devant un morceau de fenêtre. Le miroir est imparfait, il me renvoie une image assombrie qu'un peu de saumure trouble encore. Je nettoie la vitre, mes yeux. Je vois ma tête, cette boule approximative, ce masque que la survie a rendu cartonneux, avec une houppe de cheveux qui a survécu, elle aussi, on se demande pourquoi. Je ne supporte plus guère de me regarder en face. Alors je me tourne vers des détails qui se situent dans le noir de la chambre : les meubles, le fauteuil sur quoi j'ai passé l'après-midi à attendre en songeant à toi, la valise qui me sert d'armoire, les sacs qui pendent au mur, les bougies. En été, il arrive que l'obscurité du dehors soit transparente. On reconnaît les étendues de débris où, pendant un temps, des gens ont essayé de cultiver des plantes. Les seigles ont dégénéré. Les pommiers fleurissent tous les trois ans. Ils donnent des pommes grises.

Je repousse toujours le moment où je me rendrai chez le régleur. C'est un homme nommé Enzo Mardirossian. Il habite à soixante kilomètres, dans un secteur où autrefois se dressaient des usines chimiques. Je sais qu'il est seul et inconsolable. On le dit imprévisible. Un homme inconsolable est souvent dangereux, en effet.

Il faut pourtant que j'organise ce voyage, il faut que je mette dans mon sac de la nourriture et des amulettes contre le chlore, et de quoi pleurer devant Enzo Mardirossian, que celui-ci soit lunatique ou non. De quoi pleurer lunatiquement avec lui, épaule contre épaule. J'apporterai une image de Bella Mardirossian, je remuerai pour nous deux le souvenir de Bella qui ne me quitte pas, et à lui, au régleur de larmes, j'offrirai des trésors qu'on a ici : un morceau de vitre, des pommes grises.

2. FRED ZENFL

Fred Zenfl aurait dû jouir d'un certain prestige dans son entourage, d'abord parce qu'il avait survécu aux camps, et ensuite parce qu'il écrivait de la prose. Or d'une part il n'avait plus d'entourage, d'autre part ses livres ne méritaient guère le nom de livres, si l'on excepte *Die Sieben Letzte Lieder*, qui furent copiés en plusieurs exemplaires et même dotés d'une couverture avec un titre, ce qui leur donne un statut spécial dans son œuvre. En vérité, ces sept derniers lieder sont aussi ses plus mauvais textes.

Les histoires écrites par Fred Zenfl réfléchissaient en priorité sur l'extinction de son espèce et traitaient de sa propre extinction en tant qu'individu. On avait donc là une matière susceptible d'intéresser le plus grand nombre ; mais Fred Zenfl ne réussissait pas à trouver la forme littéraire qui lui eût permis d'entrer véritablement en communication avec ses lecteurs éventuels et ses lectrices et, démoralisé, il n'allait pas jusqu'à l'achèvement de son propos.

Une des histoires sans fin de Fred Zenfl commençait ainsi :

Je ne plierai pas le genou devant la mort. Quand cela viendra, je me tairai, mais je dénierai toute vraisemblance à cette gueuse en approche. Ce sera une menace pour moi sans conséquence. Je ne croirai pas en sa réalité. Je conserverai grands ouverts les yeux, comme j'ai pris l'habitude de le faire de mon vivant, par exemple pendant les périodes où j'imagine que je ne rêve pas et qu'on ne me séquestre pas à l'intérieur d'un cauchemar. On ne clora pas mes paupières sans mon accord. Il n'y aura aucune interruption des images sans mon accord. Ma conscience restera bloquée là-dessus, sur cette négation. Je ne gaspillerai pas mon énergie en rabâchant des fadaises sur l'au-delà ou la renaissance. Je m'obstinerai dans mon système qui consiste à affirmer que l'extinction est un phénomène qu'aucun témoignage fiable n'a jamais pu décrire de l'intérieur, et dont, par conséquent, tout démontre qu'il est inobservable et purement fictif. Avec force je rejetterai comme sans fondement l'hypothèse de la mort.

Je me tiendrai sur la voie ferrée de ma mort, épaules et mâchoires contractées, entendant l'express foncer et faire siffler les rails, niant et niant l'impossible proximité de la locomotive. Je ne cache pas que je crisperai le poing sur un billet où j'aurai pris soin de spécifier, pour le cas où l'affaire tournerait mal : *Quoi qu'il arrive, qu'on n'accuse personne de ma vie.*

3. SOPHIE GIRONDE

Cette nuit encore, comme il y a vingt-deux ans, j'ai rêvé de Sophie Gironde. Elle m'avait entraîné dans une aventure qui ne s'accordait nullement à mon humeur ou à mes capacités. Nous accouchions des ourses blanches dans l'entrepont d'un paquebot. On était au petit matin, en panne sur une mer d'huile ou à quai, car le bateau ne bougeait pas. La lumière du jour arrivait à peine jusqu'à nous. Les lampes ne fonctionnaient pas, ni la ventilation. L'odeur du sang errait en lourds nuages dans la coursive. Elle se superposait aux relents fauves. Nous avions déployé une bâche sur le sol, qui déjà avait été déchirée à coups de griffes. La place manquait. On entendait le choc sourd des pattes qui heurtaient les murs métalliques, le crissement des ongles, et des reniflements, des souffles. Les ourses blanches se débattaient. Elles grognaient d'une manière qui me paraissait agressive, mais qui ne troublait pas Sophie Gironde, plus rodée que moi à ce genre de situation et peut-être moins impressionnée que moi par le cérémonial ou l'idée d'une mise au monde. Aucun matelot n'était venu nous prêter main-forte, personne ne s'était présenté pour calmer ou distraire les bêtes ou fût-ce pour jouir du spectacle. Nous aurions pourtant apprécié une présence humaine, afin de ne pas avoir l'impression d'être reclus à l'arrière d'une ménagerie et sans contact avec l'extérieur.

Il y avait trois ourses. La première avait rampé à l'écart, elle s'était affalée devant la cabine numéro 886. Vautrée de flanc contre la porte, elle léchait son unique bébé avec une sollicitude affectueuse qui nous tranquillisait. Les deux autres étaient gigantesques, pesaient une tonne et n'en finissaient pas de mettre bas. Sophie Gironde plongeait les mains entre les croupes et les pattes poisseuses, et elle tirait. Je prenais les oursons en charge, de petites créatures sans grâce, ruisselantes de liquides âcres, fripées, à peu près aveugles et inertes. Je les posais sur la bâche et pinçais le cordon ombilical de chacune d'elles, en m'efforçant de bien faire. Il fallait aussi sans tarder approcher le nouveau-né de la truffe maternelle, le tendre vers la langue et la bave maternelles et lui éviter ensuite d'être écrasé ou mordu. J'effectuais ces opérations à contrecœur. L'obstétrique n'a jamais été mon fort. Les ourses ahanaient et rugissaient et se retournaient d'un côté sur l'autre avec violence. Elles giflaient l'air, leurs pattes massives cognaient contre le mur de métal, éraflaient la peinture, cognaient. Nous trébuchions dans la toile cirée dont de tels mouvements rendaient la surface chaotique. Sophie Gironde était parfois renversée par l'ourse qu'elle assistait. Je devais alors en urgence la retirer de dessous l'avalanche de viande et de poils jaunâtres qui l'étouffait. Elle se remettait debout sans commentaire et reprenait la parturition là où elle avait été interrompue. Partout gisaient des oursons, des flaques de délivre, des flaques de salive et de sang.

Nous étions malpropres. La sueur nous aveuglait. Il aurait fallu renouveler l'air. L'ambiance de caisson étanche, les vapeurs fauves irrespirables jouaient sur les nerfs de tous et de toutes. La première ourse avait cessé de flairer son bébé et de le toiletter. Elle l'avait abandonné dans un coin, entre deux plis de la bâche, et, après avoir uriné, elle s'était soudain dressée de toute sa hauteur. Elle déambulait en grondant entre les portes coupe-feu et, de temps en temps, elle retombait à quatre pattes pour frotter sa tête contre une parturiente ou pour interroger du bout de la langue un des nouveau-nés qui ne lui appartenaient pas. Elle dominait l'espace réduit de la coursive, elle allait et venait, elle nous gênait.

Je m'aperçus enfin que quelque chose clochait vraiment dans notre entreprise, comme la dernière fois, vingt-deux ans auparavant, et comme souvent lorsque Sophie Gironde m'invitait à partager un moment de complicité. Quelque chose rendait irréelle la réalité que nous traversions ensemble. C'était le nombre d'oursons que nous extrayions du ventre de leurs mères. Chez l'ours polaire, les portées comptent d'ordinaire un ou deux individus, en tout cas jamais plus de trois. Or nous avions déjà autour de nous dix ou onze rejetons, et peut-être même treize ou quatorze, car dans la pénombre et le désordre il était devenu difficile de faire un décompte exact, et, de nouveau, Sophie Gironde s'activait sur la troisième ourse. Je lui fis part de mes doutes. Je ne sais pourquoi, je m'exprimais en recourant à des tournures de phrases et à des mots qui m'étaient étrangers, je disais prélart au lieu de bâche, je discourais sur les matrices d'une voix moite. Elle me lança un coup d'œil en biais, mais ne répondit rien. On voyait nettement qu'elle ne croyait pas à mon existence. Je sentis sur ma nuque goutter une écume brûlante. La première ourse s'était approchée de moi, elle était cabrée au-dessus de moi et elle rauquait.

4. KHRILI GOMPO

Juste avant le solstice d'hiver, Khrili Gompo fut envoyé en mission d'observation pour la première fois. Il y avait plusieurs décennies qu'il s'entraînait, et c'était maintenant à lui de partir. On lui avait accordé une demi-minute d'apnée avant le retour. Il disposerait de ces trente secondes pour évaluer l'état du monde et recueillir des éléments sur les peuplades qui l'habitaient encore, sur leur culture et leur avenir. C'était un délai peu généreux, mais, comme conditions de travail, on avait déjà vu pire.

Dès qu'il fut arrivé sur zone, Khrili Gompo s'adossa contre quelque chose de solide qui se trouvait être une porte. À distance, une plaque lui apprit qu'il avait abouti rue des Annelets. La matinée était nuageuse, mais il ne pleuvait pas. Khrili Gompo essuya ses yeux qui étaient brouillés par les larmes du voyage. Cela lui fit perdre trois secondes. Il avait sa tenue réglementaire de moine mendiant et, comme la rue était peu passante, il calcula que personne n'aurait le temps de s'approcher de lui, de remarquer l'extravagance de sa figure et de ses nippes et de crier. C'est cela qui risque d'être le plus pénible, lui avait-on dit, que des gens s'attroupent à proximité de toi et commencent à vociférer en t'interrogeant sur ton identité, tes intentions.

Il se rencogna sur le seuil de la maison inconnue. C'était un bâtiment blanchâtre. On pouvait penser qu'il s'agissait d'une école élémentaire. Derrière le portail d'entrée, il devinait un espace vide qui devait être un couloir. Il imagina l'alignement des portemanteaux, une écharpe rouge, peut-être aussi une pendule indiquant neuf heures et quart. Il entendait des voix d'enfants. Une institutrice faisait répéter en chœur des syllabes et des chiffres. Une règle métallique tomba par terre. Des élèves rirent.

Sur le trottoir opposé, une femme promenait son chien, un animal ridiculement dodu, mais sympathique, car il faisait preuve d'indépendance. La femme lui parlait.

Le chien flairait bruyamment le bas du mur.

– Qu'est-ce que tu fais encore ? Qu'est-ce que tu sens ? demandait la femme.

Le chien ne répliquait pas. Il résistait à la traction de la laisse, tantôt se tortillant, tantôt essayant de se transformer en inamovible molosse. Il montrait de toutes les façons possibles qu'il voulait continuer à observer, du bout de la truffe, certains mystères de l'univers qu'il se réservait le droit de choisir lui-même. Sa maîtresse avait une élégance de sexagénaire, et, pour épanouir celle-ci, un survêtement noir qu'elle cachait sous un manteau de laine marron. Elle donna une secousse à la laisse qui était formée de deux lanières entrelacées, une jaune, une orange. Le chien avait du mal à mouvoir le museau en surface du trottoir, mais il s'obstinait à le faire. La dame imprima aux lanières une nouvelle secousse. À ce moment, son regard croisa celui de Gompo, puis il dévia.

On en était déjà à la vingt-septième seconde, et Khrili Gompo perçut qu'on avait amorcé le mécanisme qui allait le réaspirer. Ce n'était pas aussi humiliant que subir l'étranglement d'un collier de cuir, mais c'était beaucoup plus douloureux. Il fit une grimace. En dépit des manœuvres de sa maîtresse, le chien tendait toujours la tête vers le bas du mur.

– Allez, on s'en va ! s'énerva soudain la dame.

Elle avait jeté un second coup d'œil sur Gompo. Sa voix changea.

– Allez, viens ! murmura-t-elle. Y a rien à sentir.

5. IZMAÏL DAWKES

Si l'on en croit ce qu'affirment les historiens dans leurs travaux les plus récents, la découverte des Dawkes eut lieu un samedi, le samedi 25 mai, vers onze heures du matin.

Sous le commandement de Baltasar Bravo, l'expédition était partie l'année précédente, et elle avait en vain tenté de se frayer un chemin jusqu'aux Dawkes avant les tempêtes de novembre. Quand le vent froid avait commencé à se déchaîner, les explorateurs s'étaient repliés, pour hiverner, au 12 de la rue du Cormatin, où le capitaine avait une cousine qui sous-louait une chambre. Tous s'y entassèrent sans maugréer, faisant contre mauvaise fortune bon cœur. Mais assez vite, en raison des privations et de la promiscuité, l'atmosphère devint insupportable. Le blizzard gémissait jour et nuit. Sa plainte rendait fou. Les volets claquaient ; ceux qui sortirent de la maison pour les attacher ne revinrent pas. Les semaines passaient avec lenteur. Plusieurs hommes moururent du scorbut. D'autres, enhargnés par la faim, s'entre-tuèrent. L'idée de la mutinerie fermentait dans tous les esprits, et, pour l'éteindre ou l'affadir, il fallut que Baltasar Bravo fît surgir magiquement de la viande. La cousine et un mousse furent découpés en lamelles et mangés. Quand l'hiver s'acheva, seuls douze gaillards, sur les trente-deux du départ, avaient survécu. Ils reprirent leur progression, affaiblis et désormais obsédés surtout par l'idée du retour. Baltasar Bravo avait perdu son enthousiasme des premiers mois ; à présent, une mélancolie cynique le gouvernait. Ainsi diminués, ils marchèrent longtemps sans route précise, se guidant sur leurs colères ou sur des défis qu'ils se lançaient après avoir bu. Quelques décès ponctuèrent la monotonie du voyage. Un matelot, il est vrai de constitution chétive, s'empoisonna avec de la nourriture qu'il avait ramassée sur un terrain vague. Un deuxième se brisa les deux jambes en tombant dans un escalier ; on dut l'abattre. L'aide de camp de Baltasar Bravo disparut sans laisser de trace. Deux jours après le début du mois de mai, et alors que pourtant les cartes indiquaient qu'on avait découvert le chemin qui menait aux Dawkes, un malheureux se laissa submerger par l'amertume et se pendit.

Le 25 mai, environ une heure avant midi, Izmaïl Dawkes vit arriver devant chez lui une petite huitaine de silhouettes inidentifiables, dont seule une couche de guenilles témoignait qu'elles entretenaient une relation avec l'espèce humaine. C'était un samedi, Dawkes profitait de son congé pour laver sa voiture. Il interrompit sa besogne, ferma le robinet d'eau et regarda venir à lui Baltasar Bravo, qui s'était détaché de la troupe. Le découvreur se présenta. Il avait énormément régressé au niveau linguistique, et son haleine était fétide. Izmaïl Dawkes recula un peu, sans tordre ni ouvrir la bouche. Il n'était pas bavard de nature. Baltasar Bravo se méprit sur ce qui motivait son recul et, pour l'amadouer, fit déballer par ses hommes les cadeaux qu'ils avaient pieusement transportés pendant leur périple : des maillots de corps propres, un sextant dont personne n'avait jamais connu le mode d'emploi, des boucles d'oreilles en verre teinté, un jeu de mah-jong dont il ne manquait que six dominos, des échantillons de rouge à lèvres, une boîte d'élastiques multicolores. Ils posèrent tout cela à deux mètres de Dawkes, qui les observait sans montrer d'émotion particulière.

De l'autre côté de la rue, le frère de Dawkes, Faïd, avait fait son apparition. Il tenait contre sa hanche une carabine de chasse.

– Besoin d'aide, Izmaïl ? demanda-t-il.

– Non, dit Dawkes.

Après un moment, il alla chercher dans le garage un pneu de vélo qu'il posa devant Baltasar Bravo. Le pneu avait encore des reliefs et, à un endroit, on avait noué dessus une portion brunâtre de chambre à air. C'est cet objet qui fut rapporté par les aventuriers. On peut le voir dans le musée des Découvertes, et longtemps il constitua la preuve unique de l'existence d'un passage vers les Dawkes.

Baltasar Bravo et Izmaïl Dawkes restèrent cinq minutes l'un en face de l'autre, chacun ayant répondu au geste amical de l'autre, puis, comme ils n'avaient rien à se dire, ils se séparèrent.

6. LAETITIA SCHEIDMANN

L'histoire raconte que Laetitia Scheidmann venait de fêter son propre bicentenaire à la maison de retraite du Blé Moucheté quand elle déclara qu'elle allait bientôt fabriquer un petit-fils. Les geôlières médicales aussitôt le lui interdirent. Les vieilles passaient leur temps à dévisager les mélèzes noirs qui bordaient le parc de la maison de retraite et à leur parler, elles comptaient les becs-croisés et les choucas qui quittaient les terres insalubres et émigraient vers les camps, où la vie était moins désolante qu'ailleurs, et elles faisaient des plans pour l'avenir. Elles savaient désormais qu'elles n'allaient jamais mourir et elles déploraient que l'humanité eût entamé la phase quasi finale de son crépuscule, alors que les conditions depuis longtemps avaient été réunies pour un présent radieux ou presque. Sous surveillance dans leur hospice expérimental, elles enrageaient d'apprendre que les survivants des zones encore peuplées ne réussissaient plus à s'organiser fraternellement et à se reproduire. Elles considéraient que les idéologues de la capitale avaient failli et qu'il eût fallu en éliminer un grand nombre pour radicalement revigorer le paradis égalitariste perdu. La naissance de Will Scheidmann fut envisagée sous cet angle. Les vieilles voulaient confectionner collectivement le vengeur nécessaire.

Quand les menaces des vétérinaires et de la directrice devinrent stridentes, Laetitia Scheidmann accepta par écrit de renoncer à une descendance. Se parjurer devant l'ennemi ne lui avait jamais posé problème.

Elle occupa les mois suivants à ramasser dans les dortoirs des tombées de tissu et des boules de charpie, et, alors que la surveillance à son encontre s'était de nouveau relâchée, elle ordonna ses trouvailles, les compressa et les cousit ensemble au point de croix jusqu'à ce qu'un embryon fût obtenu. Elle le cacha à l'intérieur d'un oreiller et elle le confia aux sœurs Olmès, qui le mirent à mûrir sous la lune.

La nuit, les vieilles se regroupaient dans les chambres et les dortoirs. Elles se tassaient l'une contre l'autre, elles essayaient de former un seul être, une seule grand-mère compacte, elles bredouillaient des phrases magiques, tandis qu'au centre de l'espèce de termitière qu'édifiaient leurs corps, et qu'elles appelaient la couveuse, Laetitia Scheidmann et les plus proches fécondaient et éduquaient leur petit-fils. Les plus éloignées du cercle se chargeaient de monter la garde après l'extinction des feux. Plusieurs infirmières de nuit s'aventurèrent dans les couloirs à ces moments de délicate gestation et, lorsqu'elles revinrent faire leur rapport, elles n'étaient déjà plus vivantes.

7. WILL SCHEIDMANN

Quatre ou cinq décennies plus tard, Laetitia Scheidmann présida le tribunal qui avait pour tâche de condamner son petit-fils.

On était sur les hauts plateaux, une des rares régions du globe où l'exil avait encore un sens, et les nuages filaient, ils érodaient les petites collines désertes, ils se frottaient contre la terre et ils la râpaient, et on entendait aussi jour et nuit des sifflements, des souffles de grande flûte asiate, des orgues rauques. Aucun campement n'était visible, et pourtant peu de reliefs arrêtaient le regard et on voyait loin, jusqu'à une ligne sombre qui marquait l'endroit où la steppe commençait à laisser place à la taïga. Nul nomade n'avait poussé son troupeau dans les parages depuis des lustres.

Le tribunal siégeait en plein air, à deux cents mètres des yourtes. Pour y accéder, il fallait suivre le sentier qu'avaient tracé les bêtes. Au centre d'une petite dépression jaunâtre, il y avait un poteau qui servait à attacher Scheidmann, et contre lequel on lui avait promis qu'il pourrait s'appuyer quand on exécuterait la sentence. Les vieillardes s'asseyaient ou s'accroupissaient sur l'herbe, et, sans hâte, elles jugeaient. Les sessions se succédaient, fastidieuses puisque tout était joué à l'avance. Le procès durait depuis le printemps. Scheidmann était ligoté à hauteur de ventre et sous les épaules. La corde empestait la sueur de chamelle, le feu fait avec des bouses séchées, la graisse. Les maladies de peau dont il souffrait depuis son enfance s'étaient brusquement aggravées, et on lui déliait parfois les mains pendant le jour pour qu'il se gratte. Il assurait lui-même sa défense.

– Oui, ma signature figure au bas des décrets qui ont rétabli le capitalisme, expliquait-il, et qui ont permis aux mafieux de régner une nouvelle fois sur l'économie.

Et il écartait les bras dans une posture de regret dont il espérait qu'elle jouerait en sa faveur à l'heure du verdict, mais les vieilles montraient qu'elles restaient insensibles à son théâtre, et il laissait retomber les bras le long de son corps, puis il disait :

– C'est horrible à dire, mais beaucoup de gens espéraient cela depuis longtemps.

Et il attendait plusieurs secondes, le temps que la salive lui revînt en bouche après son mensonge, car il n'avait consulté personne avant d'agir et il avait été l'unique autorité à défendre la réintroduction de l'exploitation de l'homme par l'homme, l'unique instigateur du crime. Puis il répétait :

– C'est horrible à dire.

Dans le ciel, les nuages s'effilochaient en prenant l'aspect de livides lanières, de robes déchirées, de longues écharpes, et, derrière, la couche de vapeur était plus unie et gris plomb. Quand, par extraordinaire, on apercevait un aigle, il ne chassait pas, il ne dessinait pas de cercle au-dessus des nids de marmottes, il fuyait en ligne droite, migrant vers l'ancienne région des camps, peut-être parce que la nourriture y était encore abondante. Le temps s'était réchauffé, pourtant les vieillardes restaient emmitouflées dans leurs peaux de mouton. Elles étaient assises en tailleur, la carabine posée sur les genoux, et elles fumaient, muettes, comme exclusivement occupées à savourer le parfum des herbes et des champignons dont elles avaient bourré leurs pipes. Les pans crasseux de leurs manteaux exhibaient des broderies baroques, et pareillement le cuir de leurs mains et même celui de leurs joues, car elles n'avaient pas perdu encore toute notion de coquetterie, et certaines ici ou là étaient maquillées au point de chaînette.

Elles étaient installées ainsi, impassibles en face de Scheidmann, hâlées, à peine plus ridées que des femmes n'ayant vécu qu'un seul siècle. Laetitia Scheidmann posait parfois une question à l'accusé, ou elle l'invitait à s'exprimer sans crainte ou à parler plus distinctement, ou à se taire pendant quelques heures afin de laisser méditer ses auditrices.

– Je vous rappelle, reprenait Scheidmann après avoir été interrompu, et il scrutait les visages imperturbables, je vous rappelle que plus rien dans les villes ne tenait debout sinon des immeubles inhabités et des chicots noircis d'immeubles, et que, dans les forêts et les campagnes, on ne comptait plus les territoires où la végétation avait pris une couleur mauve, lilas, myrtille, et je vous rappelle aussi que le bétail était comme balayé par un vent de mort et de peste, et que vous-mêmes…

Une bourrasque emportait ses mots. Depuis les pacages, le vent traînait des blatèrements de chamelles et des bouffées de suint. Le jury populaire plissa avec unanimité les yeux. Scheidmann tentait d'affronter les opacités et les transparences grises de ces regards, il ne réussissait à en capter aucune nuance, pas plus chez une grand-mère que chez une autre. Il tendit vers elles un regard qu'elles se refusaient à recevoir.

– De toute façon, conclut-il, il n'y avait plus rien, il fallait bien rétablir quelque chose.

Les aïeules haussèrent les épaules. Elles étaient perdues dans les hallucinations de leurs fumées, dans leur évocation des réunions syndicales et des soirées à la maison de retraite telles qu'elles étaient avant le rétablissement du capitalisme, et aussi dans le décompte des balles qui leur restaient pour fusiller Will Scheidmann, et dans les chansons d'enfance qui leur revenaient à l'esprit, et dans les projets d'avenir qu'elles élaboraient pour la fin de l'après-midi : aller traire les brebis, récolter leurs crottes, les mettre à sécher pour plus tard nourrir le feu, faire le ménage dans les yourtes, remuer le lait caillé, rallumer les poêles, préparer le thé.

8. EMILIAN BAGDACHVILI

Comme on n'y voyait goutte, quelqu'un, sans doute Bagdachvili, me demanda d'ouvrir la fenêtre. Je marchai jusqu'à l'ouverture qu'un infime contour rectangulaire signalait, et, à tâtons, je l'ouvris, tout d'abord sans prendre de précautions spéciales puis en reculant vivement, car j'avais touché les volets et ils m'avaient paru bizarres. Mes doigts s'enfonçaient dedans.

– Un piège ? demanda Bagdachvili d'une voix tendue.

– Je ne sais pas, dis-je.

Au même instant, les volets basculèrent vers l'arrière. Les ferrures avaient pourri, le bois s'était décomposé. Dans la brèche qui avec lenteur s'agrandissait, la lumière entra. Les planches tombèrent à l'extérieur de la cabane, elles produisirent un bruit étouffé. Comme l'extérieur n'était que poussière, un nuage d'un rouge éteint monta aussitôt devant la fenêtre. Les volutes ne se dispersaient pas, elles formaient un rideau qui gonflait et se tordait lourdement sur lui-même et se boursouflait, et, derrière cela, le paysage restait invisible.

Sous l'éclairage pailleté d'orange et de gris carmin, Emilian et Larissa Bagdachvili n'apparaissaient pas à leur avantage. Ils semblaient avoir été traînés longuement dans une glaise sanguinolente, puis avoir été abandonnés au soleil pour s'y dessécher et s'y craqueler, et seulement ensuite avoir été dotés d'un simulacre d'apparence humaine. Nous-mêmes ne valions guère mieux. Par nous-mêmes j'entends Sophie Gironde, c'est-à-dire la femme que j'aime, et moi, qui accompagnions les Bagdachvili depuis l'entrée du tunnel, sans enthousiasme et sans plaisir.

Les murs, en rondins de sapins, n'avaient été sciés nulle part pour laisser un passage vers le dehors. Nous nous trouvions donc en un lieu dépourvu de porte. Les deux uniques sorties étaient la trappe par laquelle nous avions fait irruption, et cette fenêtre. Peut-être l'occupant de la cabane la franchissait-il parfois pour ses déplacements, mais, vraisemblablement, c'est le tunnel qu'il empruntait pour aller et venir.

L'occupant de la cabane répondait au nom de Fred Zenfl. Il s'était donné la mort quelques mois plus tôt. Nous n'en savions guère plus à son sujet. Je ne me souviens pas que Bagdachvili nous eût réunis avant l'opération, et c'est seulement dans le tunnel, alors que nous progressions à l'aveuglette, qu'il nous avait parlé de Zenfl. Lui-même, Bagdachvili, avouait n'avoir obtenu sur Zenfl que des informations de seconde main, déformées et peu fiables. La vie de Fred Zenfl s'était déroulée de façon discrète, principalement en prison, où il avait, en autodidacte et à partir de manuels approximatifs, appris plusieurs langues exotiques. Il rédigeait de petits textes d'une noirceur palpable, car il n'avait jamais supporté l'écroulement de l'humanisme, et il avait ainsi à son actif plusieurs recueils de récits inachevés, autobiographiques et assez médiocres. En vérité, plutôt que créateur, Zenfl était linguiste. Aux romans il préférait les dictionnaires. Une fois libéré, il avait eu le projet de constituer un lexique d'argot des camps. C'est là-dessus qu'il travaillait juste avant son suicide. Les informateurs de Bagdachvili avaient mentionné une autre de ses spécialités : méfiant quant à la nature du réel qu'on l'obligeait à parcourir, il défendait l'intégrité de ses espaces oniriques en y plaçant des pièges destinés aux indésirables, des glus métaphysiques, des nasses.

Bagdachvili fit le tour de la cabane. Elle était pratiquement vide : son mobilier comptait en tout et pour tout un lit de camp, une chaise, une table où un fichier et deux cahiers étaient posés. Sur le passage de Bagdachvili, de faibles mécanismes se déclenchaient, projetant sur l'intrus des tarentules géantes qui auraient pu s'accrocher à lui et devenir désagréables, si elles n'avaient pas été depuis longtemps momifiées dans leurs caches. Sophie Gironde, qui n'a jamais pu être mise en présence d'une araignée sans que quelque chose d'abyssal en elle prenne la parole, apercevait ces rebonds noirs contre les jambes de Bagdachvili, ces jaillissements noirs sur le plancher, et elle se mordait les lèvres.

La sœur de Bagdachvili alla s'accouder sur le rebord de la fenêtre. Le nuage de poussière était en train de s'éclaircir. Au-delà des cheveux très gris de la jeune femme, on voyait enfin l'extérieur, le panorama dont Fred Zenfl s'était repu quotidiennement après son retour des camps : des dunes couleur de rouille, un terrain aride, une voie ferrée, un sémaphore sur lequel quelqu'un avait bricolé une roue éolienne.

– On aurait aussi bien fait de ne pas venir, dit Bagdachvili.

Nous étions tous déçus. Bagdachvili s'était installé à la table de Zenfl et il feuilletait les cahiers que celui-ci avait couverts de son écriture d'ancien bagnard fatigué, dépressif, encore immature malgré une expérience carcérale de plusieurs décennies.

Depuis un récipient dissimulé dans le plafond, des scorpions pleuvaient sur le crâne chauve de Bagdachvili. Pendant un moment, il n'y eut pas d'autre bruit que le froissement des pages de cahier sous les mains de Bagdachvili, et ces impacts d'arthropodes, qui résonnaient comme une fuite de robinet dans un évier. Les bestioles étaient désactivées, inertes, elles étaient mortes aussi, sans doute, elles s'affalaient sur Bagdachvili ou sur la table. Bagdachvili les envoyait rejoindre les cadavres recroquevillés des autres, des araignées.

Parfois, les scorpions s'emmêlaient dans la laine du pull-over de Bagdachvili. Celui-ci s'en débarrassait avec vigueur. Il les chassait sans cesser de lire.

Il nous tournait le dos. Au bout d'une minute, on entendit de nouveau naître sa voix.

– Il n'a recueilli qu'un seul mot d'argot pour le fil de fer barbelé, marmonna-t-il.

– Et c'est quoi, ce mot ? demanda Larissa.

Son frère ne répondait plus. Après avoir esquissé un haussement d'épaules, il s'était arrêté à mi-geste, comme frappé de paralysie.

Nous restâmes tétanisés, nous aussi, pendant un long moment, sans plus rien dire ni penser. Les minutes s'écoulaient.

Une petite partie des cadavres avait commencé à s'animer avec maladresse sur le plancher. Peut-être les organismes réagissaient-ils à la lumière, aux odeurs de silex broyé, ou aux sonorités qu'avaient émises nos bouches.

Ces bêtes qui bougeaient par terre ne me disaient rien qui vaille.

– Sophie, dis-je.

J'éprouvais des difficultés pour parler. Sur ma langue poignaient seulement des bribes de khmer, une langue pour moi presque inconnue. J'aurais voulu me rapprocher de Sophie Gironde, m'enfuir, l'étreindre.

Elle avait disparu quelque part. J'ignore où.

9. EVON ZWOGG

Khrili Gompo se tenait droit et coi, en position d'observateur, sous les arcades du boulevard de l'Hôpital. On lui avait dit qu'il se retrouverait devant une librairie, mais il avait près de lui un magasin de chaussures. Comme il ne s'agissait plus d'une première mission, on lui avait accordé un temps de plongée de trois minutes. De ses oripeaux de moine mendiant émanaient les senteurs du voyage, que les personnes qui passaient devant lui semblaient remarquer avec une certaine gêne. Il feignait d'ausculter le prix des luxueuses paires de croquenots qui étaient exposées en vitrine, à tige renforcée, double semelle et prix astronomique. On percevait aussi, au milieu des reflets, l'intérieur de la boutique. La vendeuse accroupie aux pieds d'un client eut en sa direction un regard sarcastique, puis elle le détourna. Elle avait des jambes potelées et des collants qu'un motif tigrait, qui faisait d'abord penser à une maladie de peau, et ensuite seulement à une décoration. Khrili Gompo s'absorba dans l'examen des étiquettes signalant des soldes. Déjà dix-neuf secondes s'étaient écoulées.

Evon Zwogg arriva par la droite. Il s'arrêta devant la vitrine, consulta sa montre et se mit à attendre. Son aspect autorisait à imaginer qu'il travaillait dans un cabinet de psychologie appliquée, plutôt comme cobaye que comme analyste. Il avait rendez-vous avec quelqu'un qui était en retard. Il patienta une demi-minute avant de consulter de nouveau sa montre.

À la cinquante et unième seconde, une ambulance hurla en filant vers l'hôpital. Evon Zwogg s'écarta de la vitrine, marcha nerveusement jusqu'au bord de l'arcade et suivit des yeux l'ambulance, comme s'il connaissait les infirmiers ou le malade.

Khrili Gompo se tenait là, tranquille, à deux mètres. Il nota des secousses névrotiques dans les épaules de l'homme et, soudain, il vit celui-ci reculer en geignant et se plier pour ramener le buste à l'abri des arcades. Les blessés par balle ou par flèche se comportent ainsi, sous l'empire de la douleur, de la surprise.

Evon Zwogg n'avait pas reçu de projectile guerrier dans la figure, en revanche une matière verdâtre maculait son front, empoissant une surface qui allait de la naissance des cheveux jusqu'au sourcil gauche. Quelque chose de cette matière avait poursuivi sa trajectoire verticale et, après une brève giclure sur le menton d'Evon Zwogg, s'était fixé sur le devant de sa veste.

Evon Zwogg vacilla un instant, puis il porta la main à son visage et il se lamenta plus fort, puis il se mit en quête d'un mouchoir en papier, avec une gestuelle d'handicapé moteur, car il avait maintenant des souillures sur les doigts, et il ne voulait pas essuyer ceux-ci sur ses vêtements. Tout en fouillànt avec précaution dans une de ses poches, il prononçait des imprécations d'une voix dont il ne cherchait pas à camoufler la fureur. La municipalité de la ville était social-démocrate et elle en prenait pour son grade, mais c'était contre la social-démocratie en général que s'élevaient les malédictions, ainsi que contre les architectes qui avaient eu la bêtise de dessiner des saillies au-dessus des arcades.

D'une façon déconcertante, Evon Zwogg refusait d'admettre l'hypothèse la plus évidente, à savoir qu'un pigeon lui avait déféqué dessus. Tandis qu'il se tamponnait en gémissant de dégoût, on l'entendait s'interroger sur l'animal responsable. Il énumérait des noms de volatiles, de mammifères et même de ministres en exercice. Certains étaient répugnants. Il alla observer le perchoir d'où avait dégringolé la crotte, et, n'y distinguant aucun coupable, il revint à l'abri des voûtes et se répandit en nouvelles plaintes. Son expression était égarée et, au fur et à mesure que sa toilette avançait, il se sentait de plus en plus nettement victime d'un complot, et il le clamait.

Voilà qu'il venait d'échanger avec Khrili Gompo un regard où, derrière la meurtrissure, se cachaient des demandes d'approbation, peut-être pour des assassinats à venir, ou pour un ambitieux programme d'incendie, qui allait toucher aussi bien poulaillers que bâtiments administratifs.

– Vous avez vu cette saloperie ? dit-il.

On en était déjà à la cent soixante-neuvième seconde. Il avait été spécifié à Khrili Gompo qu'il aurait droit à une expiration, sous forme de phrase courte ou d'interjection.

– Ces pigeons !… dit Gompo.

L'autre sursauta avec violence. Il avait lancé vers le caniveau son mouchoir flétri. La haine lui vrillait les lèvres.

– Qu'est-ce qu'on en sait, si c'est un pigeon ou une vache, hein ?… Ou un des gangsters capitalistes qui nous dirigent ?

Il s'était approché de Gompo. Il criait :

– Et si c'était un extraterrestre, hein ?

Khrili Gompo n'avait pas pris part à l'incident, il n'avait pas projeté de liquide fécal sur qui que ce fût et il n'était pas non plus, à proprement parler, un extraterrestre, mais il rougit, comme sous le coup d'un reproche qui lui eût été vicieusement adressé.

Il ne put s'empêcher de rougir.

Par bonheur, son temps de plongée s'achevait.

10. MARINA KOUBALGHAÏ

Ici repose Nikolaï Kotchkourov, alias Artiom Vessioly, ici reposent les brutes qui l'ont battu et les brutes qui l'ont assommé, ici repose l'accordéon qui jouait la marche des Komsomols quand les sbires ont interrompu la fête, ici repose une flaque de sang, ici repose le verre de thé que nul n'a terminé ni ramassé et qui est longtemps resté au bas du mur, semaine après semaine et mois après mois se remplissant d'une eau de pluie qui paraissait trouble, et où deux guêpes vinrent se noyer le 6 mai 1938, près d'un an plus tard, ici repose le roman de Vessioly où le narrateur exprime le souhait, à l'heure de l'agonie, d'être assis près d'un feu de camp et près des arbres, au bord d'une route, avec des soldats qui chantent une chanson russe, une mélodie à la beauté envoûtante, au lyrisme simple et sans égal, ici repose l'image du ciel au jour de l'arrestation, un ciel que presque rien n'embrumait, ici repose l'inoubliable roman de Vessioly *La Russie lavée par le sang*, le livre est tombé pendant la bagarre, car Vessioly n'était pas un écrivain de pacotille, n'était pas un communiste d'opérette ni un rat craintif de bureau ou d'arrière-bureau et il n'avait pas encore été disloqué par la police, le chef-d'œuvre est tombé dans le sang pendant que Vessioly se débattait et il est resté là, oublié, ici reposent les argousins qui n'ont lu de Vessioly que des déclarations dactylographiées et de courts textes que Vessioly tuméfié et ruisselant refusait de signer, ici reposent l'héroïsme instinctif de Vessioly, son besoin insatiable de fraternité, ici reposent les épopées imaginées et vécues par Vessioly, ici reposent le clair-obscur puant des cellules, l'odeur des placards de fer, l'odeur des hommes roués de coups, ici repose le claquement des articulations sur les os, ici reposent l'envol des corneilles et le cri des corneilles dans les sapins quand la voiture s'est approchée, ici reposent les milliers de kilomètres parcourus dans la crasse et les miasmes en direction de l'Orient sordide, ici repose le corbeau apprivoisé de Vessioly, nommé Gorgha, une fière femelle noire superbe qui observa l'arrivée de la voiture et son départ, et qui ne quitta pas sa haute branche pendant sept jours puis, ayant admis l'irrémédiable, se fracassa sur la terre sans même ouvrir les ailes, ici repose l'insolence de ce suicide, ici reposent les amis et les amies de Vessioly, les morts et les mortes qui ont été réhabilités et les morts et les mortes qui ne l'ont pas été, ici reposent ses frères de prison, ici reposent ses camarades du Parti, ici reposent ses camarades de deuil, ici reposent les balles qui ont transpercé sa chair encore adolescente alors qu'il guerroyait contre les Blancs, ici repose le découragement de Vessioly, dont le pseudonyme en russe évoque une gaieté que rien jamais n'aurait dû dégrader, ici reposent les pages enivrantes de la littérature épique selon Artiom Vessioly, ici repose la belle Marina Koubalghaï à qui il n'eut pas le temps de faire ses adieux, ici repose le jour où Marina Koubalghaï a cessé de croire qu'ils se reverraient tous deux avant leur mort, ici repose le bruit des roues sur les aiguillages couverts de glace, ici repose l'inconnu qui lui a touché l'épaule après sa mort, ici reposent les braves qui ont eu la force de se tirer une balle dans la bouche quand la voiture s'est approchée, ici reposent les nuits de neige et les nuits de soleil, ici reposent les nuits de loup pour l'homme et les nuits de vermine, les nuits de petite lune cruelle, les nuits de souvenirs, les nuits sans lumière, les nuits d'introuvable silence.

À chaque fois qu'elle disait Ici repose, Marina Koubalghaï montrait son front. Elle levait la main, et ses doigts indiquaient une zone précise de sa tête, d'où les réminiscences sourdaient. Je ne lui faisais pas entière confiance pour l'exactitude des détails, car il y avait plus de deux siècles qu'elle récitait la même litanie, en s'arrangeant, par coquetterie et ardeur poétique, pour que chaque version diffère de la précédente, mais je n'avais aucun doute sur la qualité du tissu qu'elle utilisait pour broder son évocation, sur sa véracité. Je regardais avec nostalgie le visage ridé de Marina Koubalghaï, ses mains difformes, ses os devenus plus durs que pierre, sa chair comme la mienne devenue rude, recouverte par une peau luisante et brune, avec nostalgie car je pensais au temps où cette femme avait eu vingt ans, trente ans, et où elle avait été fantastiquement attirante. En disant je, je prends aujourd'hui la parole au nom de Laetitia Scheidmann. J'avais fini de traire les brebis et Marina Koubalghaï était venue s'accroupir à côté de moi pour bavarder, comme souvent à cette heure. L'après-midi s'achevait, plus aucune tâche ménagère ne s'imposait avant le soir.

Marina Koubalghaï se tut. Elle observait les lueurs du couchant. Dans la lumière déclinante, ses yeux avaient une transparence sorcière.

Après un moment, elle reprit, toujours montrant l'intérieur de son crâne, Ici reposent les livres qu'Artiom Vessioly n'a pas pu terminer et ceux qu'il n'a pas pu écrire, ici reposent les manuscrits qui lui ont été confisqués, ici reposent la chemise déchirée d'Artiom Vessioly et son pantalon taché de sang, ici repose la violence qui ne faisait pas peur à Vessioly, ici reposent les passions de Vessioly, ici reposent la première nuit en face des interrogateurs, la première nuit au milieu des hommes entassés, la première nuit dans un cachot où avaient coulé, sans exception, tous les liquides que contient le corps des humains, la première nuit en présence d'un communiste dont on avait cassé toutes les dents sans exception, ici reposent la première nuit de transfert en train et ensuite toutes les nuits dans un wagon glacial, les nuits de somnolence à côté des cadavres, et la première nuit en contact avec la folie, et la première nuit de véritable solitude, la première nuit où les promesses étaient enfin tenues, la première nuit dans la terre.

11. DJALIYA SOLARIS

Borodine sauva une souris. Il avait toujours apprécié les souris et il aimait l'idée du sauvetage. Ce qui advint par la suite montra que son influence sur le destin des souffre-douleur était négligeable, mais, pendant un moment, il évita à la rongeuse une minute d'agonie qui aurait pu être atroce. Il la retira de la gueule d'un chat roux. Il avait acculé le félin dans une impasse, entre l'évier et la poubelle. Sept heures du matin venaient de sonner. Dans la cuisine persistait la sérénité des heures nocturnes, quand il ne se passe rien, que les vivants sommeillent, que les choses se dégradent et rancissent loin de toute lumière, dans un silence que seuls troublent le moteur du vieux frigo et ses pénibles extinctions bringuebaleuses. Tout semblait dormir encore, à l'exception de Borodine et des animaux. Le chat était gras, lustré, avec de replètes joues tigrées de blanc et avec l'air de se moquer royalement de tout. Il fit quelques difficultés et d'abord esquiva la main de Borodine, mais, peut-être parce que soudain le visitait une bouffée du respect terrorisé que les humains souvent provoquent chez les autres, il abandonna la partie. La paume de Borodine mendiait sous sa gueule, il y laissa négligemment tomber une aumône grise. La souris palpitait, elle était humide de bave et de peur, aussitôt elle planta ses dents aiguës dans une phalange de Borodine, la plus proche, c'était la phalangette de l'index droit. Borodine protesta et serra un peu plus fort son poing.

Ensuite, Borodine sortit, ne sachant que faire de sa prisonnière. Il fut dans la rue, il la traversa.

On était en automne, les tilleuls jaunissaient, les marronniers perdaient leurs bogues, et, pour la plupart, les hirondelles avaient déjà changé de ciel. Les adultes mâles, également. La circulation sur les avenues n'était plus ce qu'elle avait été à la belle saison. Les automobiles raréfiées avaient commencé à s'élargir pour l'hiver et à se modifier, et déjà leur volant n'était ni à droite ni à gauche, le siège de la conductrice s'étant déplacé vers le centre de l'habitacle. Ces automobiles étaient en général pilotées par des femmes aux yeux immenses, aux étincelantes prunelles dorées, à la chevelure translucide ou grise, qui examinaient la route sans ciller ni sourire et dérivaient lentement sur la chaussée, comme si les commandes leur étaient un tantinet étrangères.

Après avoir dérapé sur une cinquantaine de mètres, l'une de ces femmes freina devant Borodine. Elle avait pour nom Djaliya Solaris, ainsi que le spécifiait la plaque d'identification vissée sur le pare-chocs.

L'asphalte brillait, la voiture était arrêtée à un pas de Borodine, sur le trottoir. On entendait le bruit discret des soupapes. Le réglage de l'avance ne présentait aucun défaut. Il y avait des incrustations d'insectes sur les phares et, sur le capot, les traces d'un récent impact de hibou. indiquant qu'en d'autres circonstances, ailleurs qu'en ville, la voiture pouvait atteindre de grandes vitesses. La conductrice fixait avec une intense impassibilité un point situé à l'intérieur de Borodine.

Pour Borodine, qui connaissait sa place dans l'univers, il était difficile d'imaginer un contact entre lui et la conductrice. Il essaya de se raconter une histoire où elle figurerait, où tous deux figureraient, une plage de complicité banale ou extraordinaire, mais rien, dans son esprit, ne prenait forme. Les femmes aux immenses yeux d'or, aux longs cheveux translucides, les tueuses de hibou n'étaient pas du même monde que Borodine.

Djaliya Solaris souleva sa main du volant en un geste qui certainement, selon elle, devait être une invite claire, un signe lisible. Borodine contourna l'avant de la voiture. En deçà du pare-brise, les yeux de Djaliya Solaris continuaient à le regarder, lançant des ondes couleur d'ambre qu'il ne savait pas interpréter. Il croisa cela, cette vibration, un orage secret dont il ne pouvait comprendre ni le rythme ni la puissance, puis il baissa la tête. Ce visage exprimait pour lui trop de sentiments inconnus, des états d'âme invérifiables, une disponibilité, peut-être, une disponibilité affective, ou une imploration, ou, au contraire, de la fureur, ou peut-être du dégoût, ou une curiosité d'entomologiste, glacée.

Comme il ne parvenait pas à affermir la moindre certitude sur le sujet, Borodine songea à se rapprocher mentalement de la souris qui dans son poing s'impatientait, et maintenant lui griffait la pulpe des doigts. Mais là aussi, la communication réelle, la relation et même le concept d'une relation s'étiolaient dès la première seconde. La souris avait le museau propre, non griffé ; toutefois, à la naissance du dos, là où le chat avait refermé les crocs sur elle, une goutte de sang perlait. Quand elle vit que son geôlier approchait d'elle sa bouche et ses yeux, la souris se tortilla avec véhémence puis, de nouveau, elle feignit le coma. Pauvre idiote, pensa Borodine.

Djaliya Solaris appuya sur un bouton. La vitre qui se trouvait près de Borodine s'abaissa. Celui-ci avec un pincement d'angoisse considéra l'avenue déserte, et ensuite il se pencha vers l'ouverture. Il s'en échappait une fragrance de bois précieux, un parfum à base d'écorce de sophora, de palissandre.

– Bonjour, Djaliya. Je peux vous appeler Djaliya ? demanda Borodine.

– Donnez-moi ça, dit Djaliya Solaris.

Elle avait dit cela avec des mots que n'importe qui pouvait comprendre, mais son intonation était si vide de toute pensée décryptable que Borodine prit peur, et, ayant avancé la main dans l'ouverture, il lâcha le petit animal sur le siège. Djaliya Solaris s'en empara exactement un onzième de seconde après que les quatre pattes minuscules eurent touché la moleskine et, sans délai, elle déclencha la remontée de la vitre. On avait l'impression qu'elle ne s'intéressait plus à Borodine. Déjà la voiture avançait, déjà elle avait avancé d'un mètre, la roue avant gauche désescaladait élastiquement le trottoir.

Le témoignage de Borodine s'interrompt là. Djaliya

Solaris a-t-elle entamé une relation personnelle avec la souris ? L'a-t-elle mangée ? A-t-elle fait disparaître Borodine ? L'a-t-elle, après réflexion, attiré à l'intérieur de son véhicule ? Et, dans ce cas, a-t-elle entamé une relation personnelle avec lui ? Ou l'a-t-elle mangé, lui aussi ?

12. VARVALIA LODENKO

Varvalia Lodenko posa son fusil, prit une large inspiration et dit :

– Décervelés ! Écervelées !

Devant nous s'étend la terre des pauvres, dont les richesses appartiennent exclusivement aux riches, une planète de terre écorchée, de forêts saignées à cendre, une planète d'ordure, un champ d'ordures, des océans que seuls les riches traversent, des déserts pollués par les jouets et les erreurs des riches, nous avons devant nous les villes dont les multinationales mafieuses possèdent les clés, les cirques dont les riches contrôlent les pitres, les télévisions conçues pour leur distraction et notre assoupissement, nous avons devant nous leurs grands hommes juchés sur une grandeur qui est toujours un tonneau de sanglante sueur que les pauvres ont versée ou verseront, nous avons devant nous les brillantes vedettes et les célébrités doctorales dont pas une des opinions émises, dont pas une des dissidences spectaculaires n'entre en contradiction avec la stratégie à long terme des riches, nous avons devant nous leurs valeurs démocratiques conçues pour leur propre renouvellement éternel et pour notre éternelle torpeur, nous avons devant nous les machines démocratiques qui leur obéissent au doigt et à l'œil et interdisent aux pauvres toute victoire significative, nous avons devant nous les cibles qu'ils nous désignent pour nos haines, toujours d'une façon subtile, avec une intelligence qui dépasse notre entendement de pauvres et avec un art du double langage qui annihile notre culture de pauvres, nous avons devant nous leur lutte contre la pauvreté, leurs programmes d'assistance aux industries des pauvres, leurs programmes d'urgence et de sauvetage, nous avons devant nous leurs distributions gratuites de dollars pour que nous restions pauvres et eux riches, leurs théories économiques méprisantes et leur morale de l'effort et leur promesse pour plus tard d'une richesse universelle, pour dans vingt générations ou dans vingt mille ans, nous avons devant nous leurs organisations omniprésentes et leurs agents d'influence, leurs propagandistes spontanés, leurs innombrables médias, leurs chefs de famille scrupuleusement attachés aux principes les plus lumineux de la justice sociale, pour peu que leurs enfants aient une place garantie du bon côté de la balance, nous avons devant nous un cynisme tellement bien huilé que le seul fait d'y faire allusion, même pas d'en démonter les mécanismes, mais d'y faire simplement allusion, renvoie dans une marginalité indistincte, proche de la folie et loin de tout tambour et de tout soutien, je suis devant cela, en terrain découvert, exposée aux insultes et criminalisée à cause de mon discours, nous sommes en face de cela qui devrait donner naissance à une tempête généralisée, à un mouvement jusqu'au-boutiste et impitoyable, dix décennies au moins de réorganisation impitoyable et de reconstruction selon nos règles, loin de toutes les logiques religieuses ou financières des riches et en dehors de leurs philosophies politiques et sans prendre garde aux clameurs de leurs ultimes chiens de garde, nous sommes devant cela depuis des centaines d'années, et nous n'avons toujours pas compris comment faire pour que l'idée de l'insurrection égalitaire visite en même temps, à la même date, les milliards de pauvres qu'elle n'a pas visités encore, et pour qu'elle s'y enracine et pour qu'enfin elle y fleurisse. Trouvons donc comment faire, et faisons-le.

Varvalia Lodenko arrêta là son discours. Derrière la yourte, les brebis s'agitèrent, car dans la nuit le bruit des paroles les avait tout d'abord dérangées, ensuite bercées, et, maintenant, l'absence de voix les réveillait.

Les vieillardes avaient allumé un feu à quelques mètres d'une yourte. Les flammes se reflétaient sur leur peau tannée, au fond de leurs yeux qui bien qu'écarquillés semblaient entrouverts à peine. C'était une nuit magnifique de juin. Les constellations étaient lisibles d'horizon à horizon, et la chaleur du jour persistait jusqu'aux étoiles et vibrait, porteuse des parfums de la steppe, tandis que sur nos visages se déposaient des flocons d'absinthe, des mouches nocturnes.

Varvalia Lodenko était habillée pour le voyage, avec une veste de soie bleue et une chasuble en marmotte, et des pantalons brodés que Laetitia Scheidmann lui avait offerts. Sa très petite tête pointait hors de ces vêtements comme si elle avait été réduite par une équipe de Jivaros, et les sœurs Olmès, pour lui donner une allure moins momifiée, avaient rembourré ses joues et même ses paupières avec des boudins remplis de feutre mongol. Ses membres aussi avaient été consolidés aux endroits qui présentaient des failles. Le bras droit, qui en cas d'affrontement allait devoir supporter le poids de la carabine et son recul, avait été cerclé de bracelets sur quoi Marina Koubalghaï avait attaché des plumes de corbeaux, des poils d'ours.

– Voilà, soupira Varvalia Lodenko. Voilà ce que je dirai, en introduction.

Il y eut un murmure approbateur, puis le silence retomba. L'assemblée des vieillardes allait méditer à présent pendant une heure ou deux, allait ruminer une dernière fois les propos de Varvalia Lodenko, afin d'y repérer des maladresses qui auraient pu leur avoir échappé. En dépit du soin qu'elles avaient collectivement apporté à l'élaboration de ce manifeste, en effet, elles savaient que des défauts pouvaient encore être corrigés avant le départ de Varvalia pour le vaste monde du malheur : des mollesses de style, par exemple, ou des lourdeurs.

Varvalia Lodenko se pencha au-dessus du feu. Elle y rajouta une brindille.

Elle avait l'air ratatinée et minuscule, et pourtant, si tout se déroulait comme prévu, c'était d'elle qu'allait jaillir l'étincelle qui remettrait le feu à la plaine.

13. BELLA MARDIROSSIAN

Soudain, au septième étage, les poules se mirent à caqueter, d'abord sur un ton modéré, et ensuite avec des stridences hystériques. Quelqu'un approchait, ou peut-être un renard, une belette. Le chien, pourtant, n'avait pas aboyé.

Bella Mardirossian écarta les torchons qui couvraient son corps nu et elle s'assit sur le bord du lit. Elle était en sueur. Dans la chambre filtrait la lumière de l'aube, le crépuscule venait à peine de vaincre les ténèbres. Comme souvent dans la réalité ou dans ses rêves, deux geckos guettaient, immobiles, au plafond. Il faisait chaud, la moiteur rendait les mains inexpertes, sous les aisselles on avait des filets de saumure et sur les hanches. On étouffait. Quand je dis on, je pense à elle, à Bella Mardirossian et à nulle autre, évidemment, car, du grand immeuble où elle logeait, elle était l'unique occupante.

Elle avait mal dormi, elle se rappelait avoir ouvert les yeux plusieurs fois au centre des ténèbres suffocantes et du silence. De mai à octobre, les nuits s'écoulent ainsi, dans l'attente d'un repos et d'une fraîcheur qui ne viennent pas. Il n'y avait plus une vitre, mais la moustiquaire placée devant la fenêtre avait des mailles trop serrées, et l'air manquait.

Bella Mardirossian se leva, elle resta environ deux secondes debout et sans vêtement. Elle considérait avec regret le jerrican d'eau propre qu'elle avait rempli la veille au robinet du troisième étage, dans le local dont elle avait fait sa salle de bains. Elle aurait aimé faire un brin de toilette, mais elle n'en avait pas le temps. La criaillerie des poules l'incitait à descendre au plus vite. Elle enfila à contrecœur ses sous-vêtements de la veille et de l'avant-veille et, par-dessus, une robe sans manches qu'elle avait découpée dans un manteau de popeline brune. En raison d'une défaillance de quelques boutons, le décolleté bâillait. Elle le ferma avec de la ficelle.

Plus bas, les poules s'affolaient. Gloussements et cris n'avaient fait que croître depuis tout à l'heure. Bella Mardirossian chaussa ses bottes en caoutchouc et tira derrière elle la porte de la chambre. Elle parcourut la galerie, puis elle s'engagea sur les premières marches. On était au dernier étage non totalement détérioré de l'immeuble, le onzième. Il avait plu la semaine précédente. Les marches chuintèrent sous ses pieds. Les bruits de ventouse se communiquaient à ses jambes, comme si à l'intérieur de ses bottes ses talons perdaient de la boue sanglante et à chaque mouvement se défaisaient. L'humidité était omniprésente. Depuis des retenues qui devaient encore stagner entre les débris du toit, l'eau gouttait le long des murs. On entendait aussi le ruissellement d'une canalisation crevée au fond du puits de l'ascenseur. Sur les paliers s'allongeaient de grandes flaques noires.

Bella Mardirossian parcourut deux étages et elle perçut enfin les lointains appels du chien, venant d'ailleurs, d'un autre bâtiment où parfois il s'aventurait, et d'où il resurgissait quinze jours plus tard, famélique et épuisé, couvert de vermine, avec des morsures sur tout le corps.

L'odeur d'excrément et de volaille devenait dense. La lumière du jour, également.

Elle descendit encore deux étages et elle fut devant les volières.

Les poules volaient de côté et d'autre en se heurtant, elles remuaient de pénibles nuées, des pestilences. Derrière le grillage, on apercevait maintenant leurs yeux fous, leurs croupions saccadés, leurs ailes sans grâce. Elles manifestaient une terreur inexplicable. Les perchoirs couverts de crotte bougeaient sans cesse. Les plumes sales neigeaient ou flottaient en oblique, ricochant ensuite sur le sol maculé de fientes ou se laissant emporter dans de nouveaux tourbillons. Trois œufs avaient été cassés, mais il n'y avait de sang nulle part ni de cadavre. L'hypothèse d'une intrusion de carnassier s'estompait. Quant à celle d'un rôdeur, elle restait très improbable. Aucun nouveau venu n'était apparu dans la ville depuis plus d'un an.

Et si c'était Enzo ? se demanda brusquement Bella Mardirossian. Et s'il avait réussi à se reconstituer ? S'il avait trouvé le moyen de me rejoindre ?

– Enzo ? murmura-t-elle.

Sans grand espoir, elle scruta la porte démolie de l'ascenseur, puis l'entrée de l'appartement 702, où une partie des perchoirs prenait appui et où, à la rigueur, quelqu'un aurait pu se dissimuler. Les poules ne se calmaient pas. Personne ne répondait.

Au bout du couloir, la petite fenêtre avait été un jour agrandie au pic et à la pioche, et le mur béait à mi-hauteur. Au-delà, le soleil était en train de naître. Bella Mardirossian alla se placer dans la lumière et, ayant ouvert les yeux pour avoir le plaisir de se laisser éblouir, elle les referma.

Et si c'était le fantôme d'Enzo qui avait tenté de me visiter ? ne cessait-elle de penser.

Elle se tenait en face du paysage qu'elle ne regardait pas, en face du soleil magnifique, en face des ruines inhabitées, en face des immenses façades qui noircissaient dans le silence du matin, en face des champs de débris qui ressemblaient à une mégapole après la fin de la civilisation et même après la fin de la barbarie, en face du souvenir d'Enzo Mardirossian, en face de ce souvenir qui l'éblouissait, lui aussi. Des taches rouge brique dérivèrent sous ses paupières.

Comme tous les jours, elle envisageait de se jeter dans le vide. Rien de rationnel ne la retenait vraiment.

– Enzo, murmura-t-elle. Enzo Mardirossian. Petit frère. J'ai tellement besoin de toi. Tu me manques. Tu me manques tellement.

14. LAZARE GLOMOSTRO

Le 10 mai, à minuit pile – donc déjà le 11 mai –, l'expédition démarra. On avait ordonné au timonier de ne pas chicaner le vent et, bien que celui-ci soufflât, à cette heure tardive, en risées parcimonieuses, bientôt nous fûmes sortis du goulet de départ et commençâmes à cingler vers l'ouest. Nous nous étions amarrés l'un à l'autre, afin de ne pas courir le risque de nous retrouver séparés et dispersés sans remède dès les premières minutes, comme l'avaient été, l'année précédente, les malheureux nautoniers qui avaient voulu inventer la route.

Quatre solides gaillards se tenaient à l'avant, qui se découvrirent et agitèrent les bras avec force moulinets enthousiastes quand on traversa la place Mayange pour virer à hauteur du boulevard des Ovibosses. Comme personne depuis les balcons ne répondait à leurs mimiques, et que nulle esquisse de vivats ne nous accompagnait, ils se calmèrent, et nous nous enfonçâmes taciturnement dans la nuit. Assez vite nous approchâmes de la rue des Sept-Laganes, mais, alors que nous doublions la blanchisserie chinoise qui en fait l'angle, nous fûmes assourdis par un vacarme effroyable, suivi d'un non moins effroyable silence et d'une immédiate sensation de surplace.

La nuit était d'une noirceur de poix. Nous nous penchâmes aux ouvertures, tirant sur la corde qui nous joignait et nous hélant les uns les autres avec la plus grande appréhension. Plusieurs battirent le briquet pour produire quelque lumière, mais la flamme n'élucidait rien. Il était une heure quarante du matin, nous avions heurté un obstacle, nous accusions une gîte inquiétante, nous n'avancions plus, tout était immobile autour de nous. Par bonheur, ainsi que le confirma sans délai le médecin du bord, pas un des membres de l'équipage n'avait été blessé.

Djenno Epstein, qui faisait fonction de capitaine, envoya un de nos vétérans en direction du 3, rue des Sept-Laganes, avec pour mission d'évaluer les dégâts, d'établir ce qui s'était passé et de nous éclairer sur ce qu'il conviendrait de faire avant le matin et plus tard.

En attendant le retour de cet homme, connu dans les ports sous l'identité de Lazare Glomostro, nous restâmes assis en rond sur le trottoir. L'angoisse feutrait les conversations et, après une minute, les langues cessèrent de sautiller dans leur loge. Nous ne pouvions nous empêcher de penser que l'expédition débutait mal. Dans l'obscurité profonde où nous étions immergés, nous peinions à reconstruire en nous cette sérénité dont toute créature est capable quand les circonstances lui sont favorables.

Au bout d'un moment, nous fixâmes notre attention sur les échos qui flottaient vers nous depuis les ténèbres. L'imagination et l'ouïe travaillaient de conserve, chacune sans cesse allant à la rescousse de l'autre. Parfois il nous semblait deviner dans le lointain les monologues ou les cris de terreur du matelot envoyé en reconnaissance. Du boulevard des Ovibosses nous parvenait le crissement des tramways qui s'engageaient sur un aiguillage et continuaient en direction de la Trésorerie Générale. En lisière de la place Mayange, une voiture de police déclencha sa sirène. Ou peut-être était-ce une ambulance. L'agitation séculière et le malheur se poursuivaient, en effet, sur les rives que nous avions quittées, et, à méditer sur ces banales mais déjà inaccessibles rumeurs, plus d'un éprouva un serrement de cœur ; en dépit de l'ombre qui servait de paravent aux émotions, quelques-uns ne purent dissimuler leurs mouchures, leurs larmes d'hommes rudes.

Comme il estimait avoir charge de notre humeur, et que celle-ci dégénérait, Djenno Epstein voulut nous distraire ; il bougonna trois ou quatre complaintes folkloriques un peu mièvres, et certains ébauchèrent un bourdon pour le seconder, mais à peine le chœur eut-il pris un peu d'ampleur qu'il s'effondra sur lui-même et s'évanouit, et, pendant la dernière chanson, notre capitaine se sentit si abandonné de tout et de tous qu'il renonça à articuler le deuxième couplet. Sa voix décrut et puis il se tut.

Plus personne n'ajouta une note ni une parole durant plusieurs tours de cadran.

C'est alors que Lazare Glomostro réapparut ; il avait vieilli, il sentait les pissotières de gare routière, ses habits étaient en loques. Il s'installa près de Djenno Epstein et, sans entrain, il conta ce qui s'était produit.

Nous avions heurté un carton qui dérivait le long des numéros impairs ; dans cet abri de fortune somnolait un dénommé Khrili Gompo, que le choc avait projeté sur l'asphalte, jusque devant le 7, rue des Sept-Laganes, où il se débattait encore quand Lazare Glomostro l'avait secouru. Ils avaient fait connaissance, ils avaient cherché ensemble une polyclinique, sans délai Khrili Gompo avait été allongé sur un chariot, on l'avait emmené au Service des radiogrammes afin de diagnostiquer s'il pourrait survivre à ses blessures, et, sur son insistance, on avait pris également des clichés de Lazare Glomostro. Ainsi était née leur amitié, avec cette fraternelle séance de pose sous les lampes ionisantes, ce partage nocturne des rayonnements qu'on leur infligeait. Après une quinzaine de semaines passées au bloc de réanimation, et bien que le pronostic des internes restât pessimiste, Khrili Gompo avait résolu de fuir l'univers hospitalier. Avec la complicité de Lazare Glomostro, qui campait nerveusement dans les environs, ils étaient partis en pleine nuit, sans autorisation de sortie, puis ils avaient végété durant quelques mois dans le quartier des Halles, où Glomostro avait autrefois connu une femme, une certaine Lea. Ils avaient retrouvé cette femme, qui avait accepté de les héberger dans sa grange, à condition qu'ils lui coupent son bois pour l'hiver et ne comptent pas sur elle pour les nourrir. Khrili Gompo se rétablissait peu à peu, mais, un jour de grand vent, il s'était volatilisé. L'hiver et le printemps s'étaient ensuite déroulés sans que vînt de lui la moindre nouvelle. Lazare Glomostro avait alors décidé de revenir faire son rapport.

Près du capitaine, il fouillait dans les besaces déchirées et les poches qu'il s'était suspendues autour du cou, et qui lui tenaient lieu de bagages, il montrait des cartes postales, la clé de la cave où logeait la femme Lea, et soudain il déroula une photocopie craquelée qui les exposait côte à côte, Gompo et lui, sous forme de squelettes, sur des tables d'examen radiologique. On voyait la très saine et impeccable charpente de Lazare Glomostro, et, à sa gauche, un illisible enchevêtrement de matière osseuse et d'organes.

Lazare Glomostro posait un doigt tremblant sur la photo et il la commentait, Ceci est mon corps, Ceci est son corps, Nous avions à peu près le même âge, La photo est un peu floue, Il a bougé, Il a bougé parce qu'il devait être en train de rire, Il plaisantait souvent, C'était un délicieux compagnon de désastre, Une formidable amitié nous a liés, Il croyait qu'il allait mourir mais il a dû bouger en racontant une histoire drôle.

15. BABAÏA SCHTERN

Il faut monter les escaliers à pied, l'ascenseur est en panne, le moteur a été incendié dans les sous-sols il y a une trentaine d'années par on ne sait qui, par des errants ou par des soldats, peut-être involontairement ou peut-être par malignité, ou peut-être parce que certains se sont imaginé qu'il y avait une guerre ou une vengeance en cours et que c'était ainsi qu'on la gagnait ou qu'on l'assouvissait. Les odeurs d'huile brûlée et les vapeurs radioactives se sont dispersées et l'immeuble est de nouveau salubre. J'habite au quatorzième étage, le moins dévasté.

Lorsque je retourne chez moi et que j'atteins le palier du neuvième étage, avant de m'engager sur la volée de marches suivante je dois passer devant la porte du 906. Je marque là une pause, je reprends mon souffle. Depuis cinq mois, l'appartement est occupé. La porte a été sciée à mi-hauteur, comme autrefois dans les box d'écurie, au temps où il y avait des chevaux, et, sur le rebord de la partie supérieure, une femme s'appuie, elle appuie ses bras énormes. C'est Babaïa Schtern. Elle est là nuit et jour, en chemise, luisante de sueur, large et ventrue et adipeusement lisse comme autrefois les hippopotames, au temps où il y avait l'Afrique ; elle séjourne là, constamment, avec de courts intervalles pendant lesquels ses enfants l'écartent pour vider son baquet ou la tirent vers les profondeurs de l'appartement pour lui faire sa toilette ou la gaver.

Sans jamais émettre d'autres sons que de vastes soupirs ou des bruits de fermentation intestinale ou les sifflements de la pisse ou de la diarrhée, elle se tient sans bouger sur les vieilles carcasses de pneus que les fils Schtern ont entassées sous elle, afin que leur mère ait une assise confortable au-dessus de son baquet et afin qu'elle puisse jouir du spectacle des allées et venues. Il y a en réalité peu de passage, puisque à part moi nul ne loge dans les niveaux supérieurs. Comme une sentinelle qu'on aurait oubliée dans une cour de caserne loin des combats, Babaïa Schtern pendant des heures ne voit rien venir. Elle scrute l'escalier qui poudroie, les marches que personne n'emprunte, sinon moi, car ses fils entrent et sortent d'un autre côté, par une échelle qui donne au huitième étage. Elle reste ainsi, interrogeant l'absence totale d'événement, inerte, la physionomie dépressive, n'essuyant pas les gouttes de transpiration qui la parcourent, sentant en elle la graisse lentement se gélifier, devinant en elle les masses musculaires qui se distendent, clignant peu, parfois en butte à des attaques d'insectes, parfois importunée par des papillons ou des mouches. Le néant est un peu fétide, elle le renifle à petits coups de narines, elle l'explore. Dans le mur lézardé qui lui fait face nichent des geckos. Elle les connaît par cœur, elle sait ce que chacun vaut, qui parmi eux est maladroit, qui est doué en langues, qui ne surmontera jamais ses traumatismes d'enfance. Elle les aime.

Rien ne bouge au-dessus d'elle dès que j'ai quitté l'immeuble. Aussi Babaïa Schtern dirige-t-elle son attention vers les parties basses de l'immeuble, vers la rue, car de temps en temps des bruits intéressants s'y faufilent, les bruits de pas ou les voix des nomades qui traînent des charges à travers les cendres, le sable. Elle écoute aussi les rumeurs de l'air dans les logements vides, les chants du vent, le caquètement des poules dans une maison où Bella Mardirossian, dit-on, administre un élevage. Le temps s'écoule. Babaïa Schtern doit souvent attendre ainsi une grande demi-journée ou même une journée entière avant de contempler une figure humaine, c'est-à-dire la mienne.

Chaque fois que je passe devant la porte du 906, je rencontre le regard de Babaïa Schtern, l'avidité épouvantée de son regard qui cherche le mien. Je ne baisse pas les yeux. Je stationne quelques secondes en face d'elle, je reçois son discours muet à propos de la saleté fondamentale de l'existence. Je me tais, je n'ai pas de réponse à apporter à ses questions. Il y a longtemps que nul ne sait dire pourquoi il faut que l'existence gravite autour d'un noyau fondamental aussi cruellement sale. Je hoche la tête, je souris, mes lèvres tremblent. J'éprouve de la compassion envers cette femme, mais je ne peux rien pour elle. Elle tente de me parler, et je dispose mon organisme d'une manière qui montre ma disponibilité à l'écoute, mais presque aussitôt elle jette derrière elle un coup d'œil coupable, vers l'appartement où résident ses fils, et, alors qu'elle était sur le point de délivrer un message, elle s'en abstient. Elle pousse un soupir d'une lourdeur phénoménale. Sa détresse soudain se dilue dans l'obésité, et on entend un des fils Schtern se racler la gorge quelque part dans la cuisine. Un autre fait tinter un bol. Babaïa Schtern recommence à mornement observer les geckos qui griffent l'entrée effondrée du 912.

Aux fils Schtern je n'adresse jamais un signe qui aille au-delà de la simple courtoisie. Bien que nous soyons désormais voisins, je les ignore. Je regrette cette proximité. Ils ne m'inspirent aucune sympathie, nous n'avons pas d'atomes crochus. On voit bien qu'ils engraissent leur mère pour de simples raisons cannibales. Dans peu de semaines, ils la saigneront et ils la cuisineront. C'est vrai que l'existence est fondamentalement sale, mais, tout de même, ils pourraient aller faire cela ailleurs.

16. LYDIA MAVRANI

La fille vint à moi, elle vint directement vers moi sans cesser de me dévisager, en me fixant d'un regard où le noir était transparent, où quelque chose de désespérément intense flambait, plus éclatant qu'un cri, elle coupait la foule, nous étions environnés d'une populace hagarde, nous étions séparés par des dizaines d'hommes et de femmes habillés de vestes trouées et de restes de manteaux ou de robes et de nippes sales, il semblait presque impossible de progresser tant la presse était grande, il était deux heures, le soleil tapait, les odeurs du marché ne cessaient de s'alourdir, la pourriture gagnait parmi les denrées périssables, la poussière s'attachait aux corps vivants des acheteurs et elle pleuvinait sur les corps morts des bêtes mortes qui, dans la section des viandes, étaient en vente sous forme de tranches ou de carcasses dépouillées ou à demi dépouillées, ou sous forme de morceaux tombés à terre et piétinés, couleur de terre ocreuse et de toile de jute, la viande peut avoir ce genre de teintes et, ici, elle les avait. Plus loin, sous des tentes malpropres, un bric-à-brac s'exposait, à vocation principalement utilitaire, des outils et des ustensiles infiniment usés et rafistolés depuis des siècles. Les vendeurs annonçaient leurs prix avec des gutturales craillantes, avec des voix de tête qui essayaient de capter l'attention du chaland par leur terrible stridence. Cette polyphonie s'accompagnait de claquements de mains et elle était ponctuée de frappes sur des percussions improvisées, sur des couvercles, sur des bidons ou des containers, et elle devenait vite agaçante. La foule réussissait à ne pas en tenir compte, elle obéissait à d'autres règles, elle ondulait de façon autonome, sans aucun rythme, à peu près compacte, créant en son sein courants principaux et secondaires et tourbillons majeurs et mineurs, et contrariant avec puissance tout déplacement autre que collectif. Pour faire affaire avec un marchand, il fallait durement résister contre la cohue et s'agripper à l'étal, ou essayer de s'accroupir sous l'étal, endroit également délicat à franchir, puisqu'il accueillait la plupart des revendeurs mendiants qui, par exemple dans la section des viandes, lançaient dans le circuit commercial des rognures graisseuses et des raclures de tripes et des couennes, et, dans la partie consacrée à la quincaillerie de récupération, proposaient des demi-clous, des ferrures en miettes, de la limaille ou des miettes de rouille rassemblées au fond d'une boîte. Le mieux était de transgresser à croupetons cette ligne de front et de se redresser ensuite. De l'autre côté de l'étal des boucheries, quand on n'était pas immédiatement chassé par le boucher, on pouvait soumettre un prix aux sarcasmes dédaigneux des commis, et entamer une dispute sur la qualité du morceau et sur son poids. C'était une zone où régnaient, dans une ombre bruyante et remplie de couteaux, les maîtres abatteurs et les tripiers ; l'air empestait le sang, les chasseurs de gibier et le linge très sale dans lequel avait été emballée la venaison. Je n'étais ni vendeur ni acheteur. Quand je dis je, c'est à Khrili Gompo que je pense, cela va de soi. On m'avait accordé douze minutes. La fille se dirigeait sur moi d'une façon inéquivoque, elle vint à moi comme si elle me connaissait, comme si elle m'avait longtemps attendu, comme si elle m'avait passionnément aimé et attendu, comme si elle m'aimait depuis toujours, comme si, en dépit des évidences et en dépit des discours de ses proches, elle avait persisté à croire que je n'étais pas mort ou que je m'évaderais un jour de la mort et reviendrais, comme si enfin j'étais revenu vers elle, après une longue absence, après un long, très long voyage. Je me tenais près d'une boutique qu'un pilier de béton protégeait des mouvements brutaux et imprévisibles de la foule. Dans cette échoppe modeste, un homme négociait des têtes de poulet et divers trésors tels que des briquets et des batteries, ainsi que des cassettes sur quoi étaient enregistrés des pamphlets de Varvalia Lodenko. J'avais encore huit minutes devant moi. Varvalia Lodenko rauquait de la prose incendiaire dans un magnétophone portable dont le son était exécrable. La fille fendit la foule et arriva contre moi. Elle était maigre, avec des mouvements vifs, un squelette vif, un visage méridional et nerveux, et des yeux perçants, alertes, très noirs, très brillants. Elle avait jusque-là exprimé une détermination hallucinée, mais, quand elle fut très près de moi, je vis l'émotion s'emparer d'elle. Ses lèvres balbutiaient un terrible silence, ses joues tressaillirent, des larmes humidifièrent son regard. Puis elle se domina. Elle hésita une seconde, elle ne voulait pas parler, elle désirait ne pas rompre un miracle, peut-être mettait-elle en doute la réalité de cette rencontre qui avait lieu. Elle semblait soudain ne plus croire à nos deux existences. La foule l'emporta sur trois ou quatre mètres, l'aspira hors de ma portée, mais, presque aussitôt, elle revint, et, cette fois-ci, elle se plaqua contre moi. Elle avait pour tout vêtement une robe loqueteuse qui avait souffert dans la bousculade, au contact des autres nippes loqueteuses, et dans la crasse et la poussière. La plupart des boutons qui la fermaient avaient été arrachés, l'étoffe se décousait en oblique. Elle acheva de la déchirer et de l'ouvrir pour se coller à moi. J'étais moi-même torse nu sous mes haillons. Elle poussa un soupir et elle referma les bras sur mon dos. Ses mains ne bougeaient pas et me serraient. Nous nous enlaçâmes sans un mot. Je sentais sa poitrine brûlante contre la mienne. Je dégageai un pan de ma chemise, je craignais que le bout de ses seins non protégés ne s'écorchât contre l'étoffe trop rêche, elle me laissa écarter l'étoffe, puis elle se blottit plus intimement encore contre moi. Elle respirait comme une dormeuse. Nos sueurs se conjuguaient. Bientôt, en dépit de la rumeur grondante du marché et des boniments aigus qui poignardaient les oreilles, j'entendis le bruit de barque à l'ancrage que produisaient la pression de nos corps l'un contre l'autre, le glissement des chairs égales et inégales l'une contre l'autre, le partage des sueurs, ce clapotis de vaguelettes et d'amour des corps amoureux pendant l'étreinte. J'entendis cela. Il y avait à côté de nous le vendeur des cassettes de Varvalia Lodenko, il me tirait par la manche afin que j'écoute les appels à l'insurrection qu'inlassablement lançait la tricentenaire dans les haut-parleurs défectueux, et, sans finesse, il me confia soudain que lui aussi, quand il caressait sa femme, quand il se couchait sur elle, il appréciait ce bruit si particulier, ce murmure nocturne de pirogue. Mon temps s'écoulait, dix minutes déjà avaient fui. Je ne répondais pas au vendeur. Je ne répondais pas au vendeur et je ne savais pas comment consoler cette femme qui m'avait pris pour un autre, j'ignorais comment ne pas abuser de sa confiance, de son erreur, comment m'occuper d'elle. Je me résolus à poser une question, j'avais encore de l'air dans les poumons, prononcer une phrase ne présentait pas de difficulté. Qui es-tu ? Dis-le-moi, chuchotai-je dans sa nuque. Elle ne sursauta pas, elle recula son visage pour rencontrer le mien, elle cherchait mes yeux, elle les explorait avec stupeur, elle dit : Je suis Lydia, Lydia Mavrani. Mais toi… mais comment… tu n'es pas Yitzhak Mavrani ?… Tu ne me… Tu ne te souviens pas que tu es Yitzhak Mavrani ?… Je ne disais rien, je ne pouvais pas imaginer comment adoucir sa peine, comment alléger sa confusion, j'ignorais ce qui allait se passer maintenant, la fille se mit à trembler affreusement, j'avais encore plus d'une minute devant moi, c'était beaucoup.

Derrière nous Varvalia Lodenko continuait à expliquer à ses auditeurs pourquoi il fallait égorger les capitalistes et en finir avec la circulation des dollars, et réinstaurer une société fraternelle.

Lydia Mavrani me regardait avec des yeux fous.

Ce fut une minute extrêmement longue.

17. YALIANE HEIFETZ

Laetitia Scheidmann fit couler dans la bouche de Will Scheidmann, son petit-fils, un double gobelet de lait de chamelle fermenté, afin qu'avec vaillance il supporte d'être fusillé, puis elle s'écarta et alla rejoindre son poste de tir. D'autres grands-mères, parmi lesquelles Yaliane Heifetz, s'approchèrent du condamné à mort et lui donnèrent à boire. Will Scheidmann ne rechignait pas, il acceptait leurs offrandes tremblotantes : de l'alcool de brebis, de l'alcool de jument présenté par Yaliane Heifetz, à nouveau une gnole obtenue en trois distillations à partir de lait de chamelle. Les liquides débordaient des récipients ou ruisselaient au coin de ses lèvres et lui arrosaient la poitrine, les hanches et même les jambes. Des renvois âcres le firent tousser et, après un hoquet, il vomit un excès de yaourt sur sa chemise qui était déjà souillée jusqu'à la ceinture. Les vieillardes alors imitèrent Laetitia Scheidmann : elles allèrent se coucher dans l'herbe avec leur carabine, en face de lui, à bonne distance.

Sans le secours de la boisson, Scheidmann eût peut-être considéré son avenir sous un jour pessimiste, mais ce qu'il avait ingurgité agissait et, au lieu de se débattre et de hurler des prières ou des injures, il examinait les alentours avec une hébétude d'ivrogne. Une fataliste absence de souci lui avait détendu les traits du visage. Il regardait le ciel encore un peu grisâtre, il humait les odeurs de lait caillé qui s'étaient superposées à celles de son corps et à celles de ses vêtements, toutes en angoisses excrémentielles et en sueur, et il clignait les yeux comme un nouveau-né, ou plutôt comme si rien n'avait d'importance. Sous l'influence de l'ivresse, peut-être, les démangeaisons dues à ses maladies de peau avaient régressé au point d'être oubliables, et il les avait oubliées, il n'essayait pas de se gratter ou de se contorsionner sous ses liens pour faire tomber les lanières parasites qui avaient poussé sur ses clavicules durant la nuit. Il remuait à peine. On le voyait s'avachir sur le poteau d'exécution qui l'avait soutenu pendant les interminables mois du procès et qui, depuis longtemps, était devenu un prolongement naturel de sa personne, une seconde colonne vertébrale, inflexible et beaucoup plus fiable que la première. Il s'avachissait et il rotait.

La voûte céleste était claire, avec une poignée de nuages et deux ou trois ultimes étoiles. La steppe s'étendait à l'infini, un peu terne encore, monotone de bout en bout, mais transmettant à chacun un formidable goût épique de vivre et de continuer perpétuellement à vivre. Un oiseau invisible pituita quelque part entre les herbes et les stratus, il y eut quelques souffles d'un vent âpre, puis tout se tut et, au bout d'un moment, le soleil apparut, et ensuite il se leva.

Will Scheidmann attendait maintenant que la sentence fût appliquée. On lui avait dit que ce serait à l'aurore plutôt qu'à l'aube.

Au cours des mois, il avait infléchi ses positions jusqu'à admettre à cent pour cent le point de vue de ses juges, et, vers la fin, il n'avait plus du tout cherché à se justifier ou à faire valoir pour lui des circonstances atténuantes. Au contraire, il avait abondé dans le sens de l'accusation. Quand il prenait la parole, c'était de plus en plus souvent pour se couvrir de fange. Il reconnaissait avoir trahi ses génitrices et avoir trahi la société humaine tout entière. Dans la maison de retraite du Blé Moucheté, les vieilles avaient planifié pour lui un destin de sauveur, elles lui avaient donné naissance pour qu'il réalise ce qu'elles ne pouvaient plus faire, Vous m'aviez donné naissance, disait-il, pour que je remette à zéro les compteurs du naufrage, vous souhaitiez que j'invente de nouveaux dispositifs et que je débloque les rouages paralysés du système, vous m'aviez lancé en direction du monde pour que je purge le système des monstres qui y prospéraient, mais elles ne l'avaient pas couvé et cousu et éduqué pour qu'il favorise la résurrection de l'ennemi, et certainement pas pour qu'il restaure les machines capitalistes, les obsolètes mécanismes à injustice et à malheur dont les vieillardes avaient réussi, dans leur jeunesse, dans le passé, à stopper pour toujours le fonctionnement, Et c'est pourquoi, disait-il, je demande pour l'accusé la peine la plus extrême dans l'arsenal des peines capitales, Punissez-moi pour la félonie dont Will Scheidmann s'est rendu coupable à votre égard, réclamait-il avec insistance, effacez-moi du nombre des nuisibles, comme si j'étais moi-même le patron des patrons ou le commandant en chef des mafias capitalistes, mais surtout elles le punissaient pour le crime contre l'humanité qu'il avait commis en obligeant celle-ci à parcourir une nouvelle fois la voie hideuse de la société marchande et à subir une nouvelle fois le joug des mafieux, des banquiers et des loups fauteurs de guerre, J'ai conscience d'avoir fait reculer l'humanité vers le stade de la barbarie, se lamentait-il, j'ai remis en place le chaos cruel du capitalisme, j'ai abandonné les pauvres entre les mains des riches et de leurs complices, alors que l'humanité était déjà au bord du gouffre et presque éteinte, et alors qu'au moins nous nous étions débarrassés à tout jamais des riches et de leurs complices, et il continuait, En quelques années j'ai gaspillé des siècles de sacrifices libérateurs et de luttes acharnées et de sacrifices tout court.

Des populations martyres anonymes et des martyrs inconnus parlaient par la voix des vieilles et désormais par la voix de Will Scheidmann. Tous exigeaient un châtiment exemplaire. Il avait prononcé sur lui-même un réquisitoire d'où toute complaisance était exclue.

Je ne mérite pas qu'on m'achève fût-ce à coups de pioche et dans la pisse, disait-il, un châtiment expéditif serait trop doux pour le responsable d'une infamie historique aussi lourde, aussi flagrante, la lapidation ou la fusillade seraient trop douces pour sanctionner un crime comme le mien, concevez pour moi plus douloureux que la mort, fabriquez pour moi pire que la souffrance dans le remords éternel ou dans l'errance, enfermez-moi dans l'enfer et ne m'en laissez sortir sous aucun prétexte, et arrangez-vous pour que nul, jusqu'au refroidissement terminal des étoiles, ne songe à me plaindre.

Voilà ce qu'il disait et rabâchait, vers la fin du procès, quand les vieilles lui accordaient la parole, voilà quel discours il tenait, tandis que son épiderme se métamorphosait de plus en plus et qu'il était attaché au poteau et enveloppé de ses propres odeurs de suint, de giclures intestinales et d'urine.

Les vieilles chargées de l'exécution s'étaient placées à une distance de tir de deux cent cinquante mètres, environ. Elles avaient adopté une position allongée de sniper. De là où il se trouvait, Scheidmann devinait les chevelures sans couleur et les colliers frontaux et les bandeaux rouges et les bonnets décorés de plumes et de perles qui ceignaient le crâne de quelques-unes, mais il ne distinguait pas les visages, que l'herbe dissimulait. Au-delà, sur plusieurs yourtes, les rayons du soleil ravivaient d'admirables motifs. Scheidmann voyait aussi les chameaux, les brebis qui derrière les vieilles tranquillement paissaient. À un scintillement soudain, il identifia la plaque de métal que Laetitia Scheidmann se fixait au milieu du front les jours de chamanisme ou de fête internationaliste, et qu'elle avait portée à la maison de retraite du Blé Moucheté, le jour où avait débuté la gestation de son petit-fils. Puis il reconnut la carabine de Yaliane Heifetz et les deux fusils des sœurs Olmès.

On était le 10 juillet.

Un oiseau à présent faisait du sur-place au-dessus des brebis, et, de temps en temps, il craquetait ou sifflait une note brève.

Puis la première détonation retentit, vraisemblablement à l'initiative de Yaliane Heifetz.

On était loin du lac Hövsgöl, caché derrière l'horizon et derrière une étendue immense de taïga, mais des oiseaux aquatiques pouvaient se perdre jusque-là, et, dans leur quête insoucieuse, ils sifflaient ainsi, une note brève, très nette, très belle.

18. IOULGHAÏ THOTAÏ

Au nombre des animaux qui assistèrent à l'exécution de Will Scheidmann, on compte les ruminants qui paissaient autour des yourtes et qui, non sans indifférence, parfois dirigeaient leurs regards vers le poteau contre quoi Will Scheidmann vomissait leur lait, mais, surtout, il y eut un oiseau qui était originaire du lac Hövsgöl, un échassier d'humeur folâtre, critiqué parmi les siens pour ses comportements individualistes, et qui ce matin-là s'amusait à tracer de courtes boucles au-dessus du terrain des opérations et à faire du sur-place tantôt à la verticale des chamelles, tantôt à la verticale des sœurs Olmès. Ses plumes caudales un peu rabougries desservaient l'élégance de sa silhouette, mais peu importe. Il avait passé la nuit près d'une petite mare située à quatre kilomètres de là, et il volait dans ce style rapace plus pour apaiser sa curiosité que pour repérer de la nourriture. C'était un chevalier à pattes vertes, ayant déjà accompli deux migrations au cours de son existence, et donc ayant traversé de biais pendant l'automne les interminables territoires mongols et chinois pour hiverner sur des rivages aux boues méridionales et jaunes, près de vieux ports jadis florissants mais maintenant envasés et déserts, pour ensuite revenir au milieu du printemps vers les paysages qu'il aimait et où ses semblables évitaient de nicher, les lacs solitaires et la taïga d'altitude qu'affectionnent les bagnards en fuite, les ours à poitrail roux, ainsi que les vagabonds ayant pour toujours quitté les ruines des villes industrielles. Et comme, cet été-là, il n'avait pas fixé auprès de lui de compagne à sa mesure, il avait décidé de voyager et de passer le mois de juillet sur les hauts plateaux avant de migrer de nouveau en direction du Mékong ou de la rivière des Perles. Dans le monde des chevaliers à pattes vertes et des chevaliers aboyeurs, cet échassier était connu sous le sobriquet de Ioulghaï Thotaï.

Il entendit rugir la carabine de Yaliane Heifetz et, aussitôt, un éclat de bois gicla près de la joue de Will Scheidmann. Les sœurs Olmès tirèrent immédiatement après, puis une salve éclata, dans quoi furent confondus les tirs de Laetitia Scheidmann, Lilly Young, Solange Bud, Esther Wundersee, Sabiha Pellegrini, Magda Tetschke, ainsi que d'autres vieillardes pluricentenaires dont les herbes pourtant basses camouflaient l'identité, et ensuite il y eut une dernière détonation, le coup de fusil isolé de Nayadja Aghatourane. Les balles vrombirent à quelques décimètres du condamné, qui ne bougeait plus ni ne hoquetait, conscient, malgré son évidente ivresse, qu'il vivait là un moment inoubliable.

Ioulghaï Thotaï se déplaça vers l'ouest puis il agita les

ailes avec une lenteur tournante, glissant et planant selon un dessin d'entonnoir et freinant sa trajectoire au point de paraître immobile en plein ciel. Il avait appris à voler de cette manière, profondément étrangère à ceux de son espèce, en observant les mouvements d'une buse et en les adaptant à sa corpulence et à sa charpente. Il se maintint au-dessus de Lilly Young et il entendit celle-ci poser des questions à la cantonade.

Les vieilles avaient éjecté, des culasses, les douilles brûlantes, et elles restaient étendues dans la position dite du sniper couché, mais toutes avaient l'air déconcertées d'avoir raté leur cible, et elles hésitaient avant de lâcher une seconde mitraillade. Sous leurs narines errait de la fumée de poudre noire, mêlée aux parfums de jeune absinthe et à l'insistante puanteur de l'urine des brebis et des chamelles qui, à l'endroit où elles étaient couchées, avaient dormi nuit après nuit pendant des mois.

Lilly Young parlait de Will Scheidmann et elle parlait de leur mémoire de vieilles qui souvent maintenant était trouée et déchirée, et dont les trous et les déchirures s'agrandissaient, avec le temps. Elle prétendait soudain que seul Scheidmann pourrait rassembler leurs souvenirs quand ceux-ci seraient en voie de disparaître complètement.

– Ça y est, la Lilly est lancée, dit quelqu'un.

– Qui nous dira qui nous sommes, le jour où nous ne le saurons plus et le jour où plus personne ne le saura ?... demandait Lilly Young. Qui nous racontera comment nous avons vécu dans la civilisation des justes et comment nous l'avons approfondie et défendue jusqu'à sa complète déconfiture ?…

– Oui, ça y est, elle est lancée, observa Esther Wundersee.

– Et elle n'est pas près de s'arrêter, la Lilly, ajouta Solange Bud.

– Qui fera à notre place le bilan de notre existence ?… continuait Lilly Young. Qui d'autre que Will Scheidmann pourra narrer des anecdotes sur notre longue existence ?… Qui pourra faire revivre encore notre jeunesse, et ensuite les écroulements, les catastrophes, notre mise à l'écart dans la maison de retraite ?… Et ensuite la résistance, le saccage de la maison de retraite, les appels à l'insurrection ?… Qui saura dépeindre cela ?

Ioulghaï Thotaï avait perdu de la hauteur. Il entendait tout, il percevait l'odeur des vieilles, il voyait sur leurs nuques et leurs hanches se fourvoyer des sauterelles des steppes, des coccinelles. Les vieilles discutaient entre elles. Quatre ou cinq déjà avaient posé leurs fusils et avaient roulé sur le flanc et mâchonnaient des épis d'orge sauvage. Nayadja Aghatourane allumait une pipe. Contre le poteau d'exécution, Will Scheidmann dodelinait du chef comme s'il était en train de s'assoupir.

– Qui saura expliquer aux survivants ce que nous faisons ici au lieu d'être mortes ?… interrogeait Lilly Young.

– C'est vrai que, quand elle est lancée, elle ne s'arrête plus, dit Magda Tetschke.

19. BASHKIM KORTCHMAZ

Sans transition, Bashkim Kortchmaz cessa de dormir et ouvrit les yeux. La nuit était non noire autour de lui, à cause de la lune qui dans le ciel avait pris place. Il se redressa sur le lit, attentif aux détails qui pouvaient, d'une manière ou d'une autre, prolonger les visions qu'il venait d'avoir. Il avait voyagé très loin en arrière, jusqu'à l'époque qui avait précédé le rétablissement du capitalisme, et il avait rêvé du grand amour de sa vie, de Solange Bud, de Solange Bud telle qu'elle avait été deux cent soixante-douze ans plus tôt, jeune et attirante, et il l'avait de nouveau aimée et déshabillée comme autrefois il la déshabillait, en retrouvant l'harmonie presque douloureuse qui entre eux deux avait toujours régné, du premier au dernier jour de leur aventure, et en retrouvant les vertiges complices et la vibrante absence de mots dans laquelle ils avaient l'habitude de s'étourdir pendant l'amour, et, juste avant de se réveiller, il s'était pollué le ventre.

Il regarda l'heure. La pendulette indiquait deux heures du matin. Il quitta le matelas de crin, il fit deux pas, il écarta le carré de serpillière qui remplaçait la vitre et il se pencha à la fenêtre. Deux gouttes de sperme glacialement parcoururent quelques centimètres sur sa cuisse gauche et se figèrent. Il avait le souffle rauque, une sensation de dessiccation l'accablait. La serpillière près de sa tête le gênait, elle n'avait aucune souplesse, au moindre contact elle perdait les particules minérales et les paillettes qu'elle avait jusque-là empêché d'entrer dans la chambre. Il toussota. Une grande quantité de poussière était tombée dans la rue pendant la soirée, avant et après le crépuscule. Des chats en rut miaulaient dans l'ombre, cinq étages plus bas, et de temps en temps ils se jetaient les uns sur les autres et ils se battaient avec fureur, jusqu'à la copulation ou jusqu'à la mort. Le ciment des murs exhalait encore une chaleur de four. L'air n'avait guère cédé plus de trois degrés depuis la fin du jour. Dans la maison d'en face, un vagabond s'était récemment installé, on entendait les traces d'une activité, un bruit de balayage, des cliquetis. L'homme mettait de l'ordre dans son logis, peut-être chez lui l'invasion du sable avait-elle été plus sévère que chez Kortchmaz.

Aucune lampe ne brillait, conséquence d'une raréfaction du peuplement humain, et aussi parce que nul n'avait réussi à rétablir l'électricité après la dernière coupure. La lune s'arrondissait au-dessus des immeubles. Elle illuminait l'avenue du Deuxième-Vroubel et les façades démolies, les plaies grandes ouvertes de l'avenue du Premier-Vroubel.

Kortchmaz s'écarta de la fenêtre pour se désengluer le bas-ventre. Il s'essuyait et il avait honte. Du plus loin qu'il se souvînt, et même quand il remontait jusqu'à la période des camps et des prisons, quand l'existence se déroulait dans un contexte de démission où plus la moindre valeur corporelle ou intellectuelle n'avait d'importance, les souillures nocturnes l'avaient toujours déprimé. Il y a des gens qui obscurément trouvent des raisons de se pardonner d'une façon à la fois scientifique et gaillarde les pertes de semence pendant l'inconscience, mais Bashkim Kortchmaz, lui, en voulait à son organisme de rythmer ainsi sa misère sexuelle. Le fait d'avoir revu en rêve Solange Bud ne compensait pas l'humiliation que représentait cette incontinence.

Le souvenir du rêve avec Solange Bud se défaisait en lambeaux qu'il ne réussissait plus à retenir. Il s'arrêta de bouger, mais déjà presque tout s'était enfui, à l'exception de la nostalgie. Il avait en tête des images de Solange Bud dans un autre rêve, où l'atmosphère érotique était inexistante. La jeune femme d'il y a deux cent soixante-douze ans marchait à sa rencontre, dans le brouillard, elle était habillée comme une princesse yakoute, on ne distinguait pas son visage au centre du capuchon qui le protégeait, il était impossible de savoir s'il s'agissait bien de Solange Bud en chair et en os, et non d'une autre femme que la mémoire de Kortchmaz aurait confondue avec Solange Bud.

De l'autre côté de la rue, le vagabond inconnu continuait à balayer et à pelleter du sable. Dans la quiétude sans lumière, cela attirait l'attention comme quelque chose d'anormal.

Et si je lui donnais un nom, à cet insomniaque?

songea Kortchmaz, et, les coudes de nouveau appuyés sur la crissante farine qui recouvrait le rebord de la fenêtre, il se mit à inventer des noms possibles. La serpillière reposait sur son épaule et lui salissait l'arrière du cou.

Et si je baptisais ce type, disons, Robby Malioutine? pensait-il. Et si j'allais à l'instant lui rendre visite, lui demander s'il a entendu parler de Solange Bud?

Il s'habilla et il avança vers la porte, puis il hésita. Un deuxième groupe de chats miaulait dans l'escalier. Ensuite il y eut un long moment de silence.

La main sur la poignée, ne pouvant se résoudre à ouvrir la porte, Kortchmaz se retourna vers l'intérieur de la pièce. Comme la serpillière n'avait pas été rabattue, la lune argentait l'espace austère et ce qui modestement l'encombrait, des vêtements pendus à des clous ou à une corde à linge, quelques sacs, un sommier pourvu de deux matelas assez minces, des cuvettes en plastique. La fenêtre projetait à côté du lit un rectangle tronqué et trouble.

Hé, une minute! pensa Kortchmaz. Qu'est-ce qu'on sait de ce Robby Malioutine? Et si, au lieu de m'offrir de l'eau et de bavarder avec moi de Solange Bud, il profite du manque de lumière pour m'étriper et me mettre à sécher dans son garde-manger?

Devant la fenêtre, une brume de silice voletait, elle flottait de gauche à droite et de droite à gauche, captant de microscopiques étincelles grisâtres et les reflétant. Ce n'était pas féerique, c'était plutôt un signe d'insalubrité, mais on pouvait tout de même s'intéresser à ces mouvements, trouver dans ces minuscules sautes de lumière une excuse pour être fasciné par quelque chose et pour ne pas descendre à tâtons dans la rue ni chercher à deviser avec un inconnu.

Kortchmaz alla se rasseoir sur le lit et il passa l'heure suivante à observer la danse de la poussière et à écouter les bruits de la nuit. Les chats avaient disparu. Robby Malioutine ne balayait plus son appartement. Maintenant il se tenait tranquille. Dans l'avenue du Deuxième-Vroubel, un fou cria que quelqu'un l'avait mordu et sanglota des protestations pendant une minute, puis sombra de nouveau dans le néant. Au loin ronflait le moteur du bloc électrogène d'un nouveau riche. Kortchmaz essayait de penser sans trop de souffrance à Solange Bud telle qu'elle avait été deux cent soixante-douze ans auparavant. Et ensuite, quand la lune fut descendue derrière les tours de la rue du Kanal, il se rendormit.

20. ROBBY MALIOUTINE

Au contraire de ce que j'avais un moment imaginé, Robby Malioutine n'était pas cannibale, et, assez rapidement, je pus avoir l'assurance qu'il n'était pas non plus un nouveau riche, ni un partisan des nouveaux riches et du capitalisme. C'était donc un homme fréquentable. Après une dizaine de jours et de nuits pendant lesquels j'avais épié ses habitudes, je me rendis chez lui, au deuxième étage de la maison d'en face. Quand j'utilise la première personne, on aura compris que je pense principalement à moi-même, c'est-à-dire à Bashkim Kortchmaz.

Nos relations dès le début furent marquées par l'absence totale d'agressivité et par une sorte de camaraderie peu expansive, telle qu'elle se développe entre gueux après une catastrophe cosmique ou longtemps avant la révolution mondiale.

Malioutine avait roulé sa bosse en de nombreux lieux étranges du globe et il en avait rapporté de l'expérience, mais il camouflait ses savoirs derrière une conversation faite de banalités, d'esquives prudentes et de trous de mémoire. Il préférait se mettre en retrait et ne jamais imposer aux autres la somptuosité ou l'horreur, sans doute écrasantes, des souvenirs dont son crâne regorgeait. Se taire faisait partie des leçons qu'il avait reçues quand il parcourait des paradis ou des enfers reculés ou exotiques, et ensuite, après qu'il eut réussi à en revenir : il savait que les mots blessent les survivants et irritent ceux qui n'ont pas survécu, que les images se partagent mal, que tout discours sur l'ailleurs passe pour une vanité ou pour une jérémiade. Cependant, parce qu'il ressentait une certaine gêne à conserver hermétiquement des connaissances que personne, en fin de compte, ne lui interdisait de divulguer, il organisait des conférences, au rythme de deux par mois.

Malioutine s'exprimait en un dialecte mongol qu'on parle à l'ouest du lac Hövsgöl, et il le parlait avec des déformations spectaculaires. Il empruntait son vocabulaire au russe, au coréen et au kazakh qu'il avait pratiqués dans les camps, trois cents ans auparavant, et qui s'étaient substitués à sa langue maternelle, dont je suppose qu'elle était, malgré tout, le darhad. Il prononçait ses conférences dans ce sabir laborieux.

Ses conférences avaient deux titres : *Luang Prabang, papillons et temples* et *Voyage à Canton*, et il les donnait à la suite l'une de l'autre, dans une unique séance, tout en préparant du thé pour ceux et celles qui venaient l'entendre. Bien qu'il espérât attirer le public sur cette affiche alléchante, et quand je dis alléchante je le dis avec sincérité, car les deux villes avaient sans doute autrefois mérité le déplacement et méritaient qu'aujourd'hui on les fît revivre par la parole, ses efforts n'aboutissaient à rien. Nul ne manifestait jamais l'intention d'assister à l'événement et, le soir venu, la salle restait vide.

J'allais régulièrement l'écouter. Nous étions seuls dans sa chambre qu'il avait balayée, pour l'occasion, avec un soin maniaque. Il laissait grande ouverte la porte de l'appartement et il suspendait une touffe de rubans rouges et des chiffons devant l'entrée de l'immeuble, afin que le public fût alerté et afin qu'il ne se perdît pas en chemin, mais personne ne traînait les pieds dans l'escalier ou même dans la rue.

Les conditions pour une véritable causerie n'étant pas réunies, Malioutine tardait avant de démarrer son discours. Comme j'attendais en silence, assis sur une planche propre et les yeux rivés sur les morceaux de papier photographique qu'il avait placardés contre le mur, et dont la teinte unie et bistre foncé ne contenait pas la moindre information, il finissait par se décider et, après s'être éclairci la gorge, il s'adressait à l'assistance, c'est-à-dire à moi, et il nous demandait si nous désirions du thé tout de suite ou plus tard. Puis, comme je ne me prononçais pas avec netteté sur la question, lui laissant le choix de régler à sa convenance les modalités du spectacle, il commençait à enchaîner des phrases qui avaient rapport avec Luang Prabang. Il signalait qu'il n'avait pas réussi, personnellement, à pénétrer au Laos, et que ses informations étaient de seconde main, mais que, par exemple, on lui avait assuré que, dans certains temples,

les dévots utilisaient des douilles d'obus pour disposer les bouquets de fleurs, les offrandes d'orchidées ou de marguerites, de lotus, d'ylang-ylang. Il ne précisait pas le calibre des obus, mais il écartait les mains pour montrer, en gros, quelle était la taille des tubes de cuivre. Puis il reprenait une énumération de fleurs, un lexique difficile à maîtriser quand plusieurs idiomes sont en concurrence, puis il revenait à ce qui constituait le thème principal de sa communication. À Luang Prabang, disait-il, il y a des pagodes dont les vases sont des obus. Il fallait faire un effort pour suivre son propos. Il cherchait ses mots, parfois pendant quinze, vingt secondes, lâchant ensuite une expression incompréhensible, en argot coréen ou en kazakh, puis se taisant de nouveau. Les photographies étaient monochromes, on comprenait qu'elles avaient subi plusieurs décennies d'un rayonnement orageux ou solaire qui avait annulé leur déchiffrabilité, mais Robby Malioutine s'en servait pour illustrer les descriptions orales qu'il faisait, et pour rendre plus vivante sa palabre, plus pédagogique. Il les citait, il les commentait, toutefois il ne se retournait vers elles que très brièvement, comme effrayé à l'idée que l'auditoire pourrait profiter de ce moment d'inattention pour s'éclipser. Leur caractère on ne peut plus vague les rendait universelles, et on se retrouvait à travers elles indifféremment à Luang Prabang ou à Canton, dans une pagode ou au bord du fleuve, sur le Mékong, sur la rivière des Perles. La seconde conférence ainsi se greffait en douceur sur la première. Canton devait se prononcer Guangzhou, Malioutine insistait beaucoup là-dessus, et parfois il lui arrivait d'exiger du public une participation active, il lui faisait répéter en chœur les deux syllabes chinoises, l'une sur le troisième ton et l'autre sur le ton haut, il faisait répéter cela à plusieurs reprises ; puis venait l'heure du thé qui s'accompagnait de mondanités un peu creuses ; et nous ne proférions plus une seule pensée digne de voix.

21. SORGHOV MORUMNIDIAN

Au début, j'eus du mal à croire que Sophie Gironde était de nouveau à mon côté, et que pour la rejoindre il n'y avait pas besoin d'attendre une conjonction de rêves particulière ou de voyager trois mille ans à travers les lentes laideurs obscures de l'enfer. Parcourir quelques mètres suffisait pour que je m'approche d'elle, étendre la main suffisait pour la toucher. Voilà ce qui m'étonnait. J'allongeais la main vers elle, j'ouvrais le bras comme pour l'inviter à danser, et aussitôt je retrouvais, dans leur banalité merveilleuse, les gestes de la rencontre amoureuse, ces gestes rabâchés mais qui toujours, quand aucun partenaire ne ment, offrent des vertiges inépuisables. Sans avoir à languir le temps d'une vie, simplement une seconde après l'avoir désiré, je pouvais maintenant caresser son épaule, la naissance de son dos, puis l'attirer enfin contre moi, avec une douceur dont on n'ose rêver que dans les rêves, contre ma bouche et mon corps que le long abîme de l'absence avait rendus incrédules. Sophie Gironde s'accostait à moi, rien de funeste ne surgissait, rien ne venait soudain nous séparer avec violence, et, tandis que nos respirations s'unissaient, je pouvais sentir, à travers l'étoffe quand il y avait entre nous une épaisseur d'étoffe, la disponibilité de sa peau et même, rendant secondaires les harmonies physiques, la disponibilité de sa mémoire, car nous étions, le temps d'une vacillation, posés à la margelle des mots, ne disant rien et ensemble frissonnant, comme prêts à aller mentalement de l'un à l'autre. J'avais du mal à le croire. J'avais l'impression que le bonheur, comme autrefois, pouvait m'être retiré sans crier gare, entre deux battements de paupières. Quand je dis je, c'est ici surtout en assumant l'identité de Sorghov Morumnidian. J'interprétais le présent comme une suite d'illusions accrochées avec cohérence l'une à l'autre et incluant les moments de sommeil et de séparation, intégrant les événements les plus prosaïques de la vie quotidienne et fabriquant, en résumé, une sorte de réel parfaitement plausible, mais dont nous risquions d'être privés au moindre sursaut défavorable du destin. Au début, je redoutais à chaque instant de tout perdre et je le déclarais à Sophie Gironde, expliquant ma peur et me mordant les lèvres pour ne pas pleurer. Cela la faisait rire. Puis il se produisit une espèce d'accoutumance, et je mis en veilleuse mon scepticisme, mais sans m'en libérer vraiment. Ma vie avec Sophie Gironde suivait un cours tranquille. Nous avions pour demeure des masures délaissées depuis très longtemps, des maisons que personne ne réclamait, nous rencontrions des gens de sac et de corde et des gens sans gloire, qui déclinaient là, pas loin de nous, comme nous, et aussi il nous arrivait de connaître des situations de solitude absolue, pendant de fugaces périodes ou, au contraire, pendant des années, de longues années. Nous nous déplacions peu, désormais, avec des étapes réduites et de façon plutôt circulaire. Nous avions abouti au bord d'un fleuve équatorial qui rendait incongrue toute nouvelle recherche d'exil. Les eaux brunes souvent charriaient des plantes arrachées par les crues aux biefs marécageux ou aux lagunes, de robustes liserons d'eau géants, des nénuphars. Au lever du jour nous nous rendions sur la rive détrempée. Nous contournions des flaques que les couleuvres quittaient à regret quand nous arrivions à deux pas d'elles, et nous allions nous recueillir devant le clapotis des vaguelettes, profitant de la dernière heure de relative fraîcheur avant la reprise de la chaleur. Le ciel commençait à virer au bleu malpropre. Nous nous tenions main dans la main, et nous observions le passage de ces vilaines brassées flottantes, de ces épaves de plantes qui parsemaient le fleuve à perte de vue. Selon que nous avions ou non beaucoup marché à la fin de la nuit, les berges étaient basses, parfois dépourvues de frange boueuse, parfois inextricablement touffues. La terre exhalait des puanteurs de compost, de bananeraie. Nous restions là et nous assistions à l'éveil des flamants roses, aux premiers va-et-vient des barques. Dans le lointain, à la courbe du fleuve qu'aucune brume encore ne troublait, on distinguait un village à l'architecture lacustre, que dominait une pagode sans grand lustre, manifestement très pauvre, et Sophie Gironde rompait le silence et elle disait : À Luang Prabang, il y a des temples dont les vases d'autel sont des obus. J'avais entendu autrefois une conférence sur ce thème, et je savais que Sophie Gironde n'y avait pas assisté, et il me semblait, en de telles occasions, que seule ma mémoire ensorcelée pouvait faire surgir des phrases de ce genre sur les lèvres de ma compagne. Il n'en fallait pas plus pour que renaisse mon anxiété. Je recommençais à penser qu'aucune certitude n'étayait le monde qui nous entourait. L'existence de Sophie Gironde et la réalité de nos retrouvailles devaient être mises en doute. J'avalais ma salive, je pressais la main de Sophie Gironde, aussitôt m'interrogeant sur ce présent qu'il me semblait être en train de partager avec elle. Je consultais mes calendriers internes afin d'établir une chronologie de ce qui avait précédé. J'aurais dû au moins pouvoir situer le présent par rapport à un passé, à un quelconque passé inscrit dans ma mémoire. Or aucune méthode de calcul ne fonctionnait, même quand je limitais ma recherche à l'écoulement du passé immédiat. C'était effrayant et, en désespoir de cause, je questionnais Sophie Gironde. Chut, répondait-elle. Tu vas effrayer nos éléphants. Quels éléphants ? demandais-je. Je me retournais. Je voyais derrière nous la petite colline sur laquelle se dressait notre maisonnette, l'espace gagné sur la forêt que je ne me souvenais pas avoir déboisé de mes propres mains, le jardin d'herbes où je ne me rappelais pas avoir jamais cultivé la coriandre et la menthe qui assaisonnaient notre nourriture. Les éléphants piétinaient nos plantations en agitant les oreilles. Sophie Gironde avait tout l'air d'être ravie par leur saccageuse nonchalance, et, dans la lumière du soleil levant, brusquement, elle m'apparaissait animée de pensées et de souvenirs inaccessibles et étrangère. Et tout était de nouveau comme au début, difficile à croire.

22. NAYADJA AGHATOURANE

Le ciel avait brûlé toute la journée.

Aucun oiseau n'était visible, la prairie assommée se taisait, même les mouches avaient tendance à disparaître. Près des tentes de feutre, les bêtes en silence cherchaient l'ombre. Quand on était mal placé, et c'était le cas de Will Scheidmann, on risquait l'éblouissement dès qu'on écartait les cils. Chamelles et brebis dérivaient à la surface d'un lac d'étain en fusion, les yourtes ondulaient derrière un rideau de chaleur. Quant aux vieillardes, elles se confondaient avec le sol, elles restaient immobiles parmi les épis et les brins scintillants et jaunâtres ou gris intense, vautrées avec leurs fusils au milieu des taupinières et sur les crottes très dures des animaux. On refermait les yeux en hâte, avec l'impression d'avoir eu les rétines anéanties à la flamme. Puis on serrait les paupières plus fort et la vue, peu à peu, revenait. Dans le noir intime, elle revenait.

Et maintenant, avec la nuit, on était plus à l'aise pour inventer des images. Des souffles sur la steppe circulaient.

Ils ne charriaient aucune fraîcheur, mais, au moins, ils n'aveuglaient pas.

Il y avait trois semaines que l'exécution de Will Scheidmann était en cours. Depuis l'échec de la première fusillade, le condamné attendait que les vieilles le tuent. Et elles, au lieu de le mitrailler, discutaient pour savoir si elles devaient se rapprocher du poteau et reprendre à zéro les opérations, ou si elles feraient mieux de gracier Scheidmann, quitte ensuite à lui infliger une peine d'une autre nature, par exemple le contraindre à archiver à haute voix leurs rêves de jeunesse que l'amnésie amenuisait. La décision semblait impossible à prendre. Nuit et jour couchées en position de tir, les aïeules fumaient des pipes d'herbes aromatiques tout en échangeant des avis et de longs silences. Parfois, surtout la nuit, elles se levaient pour déféquer dans un vallon voisin, ou elles partaient traire une brebis souffrant d'un trop-plein de lait, mais ces absences duraient peu. On les voyait bientôt rejoindre le peloton des snipers. Elles distribuaient autour d'elles des grignotures de fromage et aussitôt, avec une agilité de vieux fauves, elles se rallongeaient.

Trois semaines.

Vingt et un jours.

Et c'étaient aussi vingt et une histoires que Will Scheidmann avait imaginées et ruminées face à la mort, car en permanence ses grands-mères pointaient sur lui leurs carabines, que l'on fût à la belle étoile ou en plein midi, comme pour bien lui rappeler que d'une seconde à l'autre l'ordre de déclencher le feu pouvait une nouvelle fois sortir de la bouche de Laetitia Scheidmann ou de Yaliane

Heifetz ou d'une autre. Vingt et un et bientôt vingt-deux narrats étranges, pas plus d'un par jour, que Will Scheidmann avait composés en votre présence, et en disant Will Scheidmann, je pense à moi, bien sûr. Et donc il monologuait ici un vingt-deuxième irrésumable impromptu, n'ayant plus en perspective que des délires de survivant sous la menace et une fausse tranquillité devant la mort, et je pétrissais cette prose dans le même esprit que les précédentes, pour moi-même autant que pour vous, vous mettant en scène pour que votre mémoire soit préservée malgré l'usure des siècles et pour que votre règne arrive, car, même si j'avais coopéré toujours assez médiocrement avec vous, j'éprouvais à l'égard de vos personnes et de vos convictions une tendresse que rien jamais n'avait pu ébrécher, et j'espérais pour vous toutes l'immortalité, ou, du moins, une immortalité supérieure à la mienne.

Je me tus. Une sauterelle venait de bondir sur une de mes jambes. Les épreuves avaient métamorphosé mon corps. Les maladies nerveuses provoquaient une multiplication de lambeaux de peau parasite. Partout grossissaient sur moi de vastes écailles ligneuses et des excroissances. La sauterelle accrochait à cela ses pattes.

J'ouvris les yeux. La steppe nocturne se drapait dans les étoiles, puis la lune vint. J'aurais aimé parler à quelqu'un. J'aurais aimé que quelqu'un me parle des hommes et des femmes que j'avais peints, m'en parle avec amour, avec fraternité et compassion, me dise : J'ai bien connu Lydia Mavrani, raconte-moi encore comment elle était après avoir survécu, ou : Donne-moi des nouvelles de Bella Mardirossian, ou encore : Il faut que tu t'acharnes à relater les aventures de Varvalia Lodenko, ou encore : Nous aussi nous appartenons à cette humanité mourante que tu décris, nous aussi nous sommes parvenus là, au dernier stade de la dispersion et de l'inexistence, ou encore : Tu as eu raison de montrer que nous avons été comme à jamais dépossédés de la joie de refaire le monde. Mais personne ne chuchotait près de moi pour m'encourager à continuer. J'étais seul et, soudain, je me mis à le regretter.

La sauterelle s'était perchée sur une des ramifications de ma hanche droite. Elle grésilla deux fois, puis elle bondit sur la corde qui me ligotait la poitrine, puis elle grésilla de nouveau.

Les vieilles restaient impavides en face de moi, à une distance moyenne de deux cent trente-trois mètres. J'aurais aimé leur expliquer pourquoi je façonnais autre chose que des petites anecdotes limpides et sans malice, et pourquoi j'avais préféré leur léguer des narrats avec des inaboutissements bizarres, et selon quelle technique j'avais construit des images destinées à s'incruster dans leur inconscient et à resurgir bien plus tard dans leurs méditations ou dans leurs rêves.

À ce moment, Nayadja Aghatourane m'interpella. Comme elle avait fêté son bicentenaire seulement vingt-sept ans auparavant, c'était la plus jeune des tireuses d'élite.

– Resurgir plus tard dans leurs rêves, étais-je en train de dire.

Elle se redressa, elle décroquevilla sous la lune sa forme jusque-là blottie dans les touffes de ginseng et de boudargane. Je vis émerger en haut d'un monticule son misérable manteau de marmotte, dont, à contre-obscurité, il n'était guère possible de détailler les nombreux rapiéçages et les enjolivures vermillon et les slogans magiques en ouïgour, et j'aperçus sa tête minuscule, comme lyophilisée par la vieillesse, cette petite masse de cuir granuleux et chauve dont la partie inférieure reflétait les étoiles quand des mots s'en échappaient, car elle était renforcée par un dentier de fer.

Une affection spéciale me liait à Nayadja Aghatourane. Je n'avais pas oublié que, lors de ma gestation dans la maison de retraite, quand j'étais caché, imparfaitement conçu, sous le lit de telle ou telle des vieilles comploteuses, elle avait été l'unique grand-mère de la bande à songer qu'il fallait répéter en ma direction des contes pour enfants plutôt que seulement les classiques du marxisme.

– Scheidmann, cria-t-elle, qu'est-ce que c'est que ces narrats étranges avec quoi tu nous embobines ? Pourquoi étranges ?… Pourquoi sont-ils étranges ?

J'étais fatigué. Je ne répliquai rien, la lassitude m'empêchait de desserrer les lèvres. En dépit des démangeaisons qui m'accablaient atrocement, je ne remuais pas la masse de peau guenilleuse qui me recouvrait et que l'attraction lunaire faisait croître, je le sentais. Un éclair de chaleur zébra le ciel et, pendant une seconde, j'eus la folle certitude que les vieilles allaient redéclencher la fusillade et en finir, puis je me rendis compte qu'hélas il n'en serait rien. L'attente reprit. J'avais envie de répondre à Nayadja Aghatourane, de hurler à travers la nuit chaude que l'étrange est la forme que prend le beau quand le beau est sans espérance, mais je restais bouche close, et j'attendais.

23. SAFIRA HOULIAGUINE

À la maison de retraite, l'odorat se substitue à la vue quand la vue défaille ou quand la nuit est ténébreuse. Les deux bâtiments du Blé Moucheté sentent pareillement la cuisine au chou pourri et à l'oignon, et ils sentent aussi les coussins de crin sur les fauteuils trempés de pipi qui encombrent la grande salle, et ils sentent aussi les appareils dentaires posés sur les tables de nuit et la crasse brune le long des plinthes brunes, et le pain noir rassis, et les petites pommes aigrelettes qu'on mange ici au dessert, et aussi le savon noir qu'on étend sur les parquets du rez-de-chaussée à chaque fois que reviennent les beaux jours, et la poussière des tapis qu'on roule dans le couloir lors des opérations de grand nettoyage, et aussi ils sentent les alaises en caoutchouc qui sèchent le matin dans les dortoirs, et en hiver ils sentent la friture des beignets que la grosse Lioudmila Matrossian et sa fille la Rosa Matrossian confectionnent tous les mercredis pendant les mois de neige, et ils sentent les produits pharmaceutiques que la directrice en automne distille à partir de champignons de souche, et de moins en moins on y décèle l'odeur des appareils vétérinaires venus de la capitale, car si, au début, des expériences se déroulaient sur l'immortalité des vieilles, ensuite les chercheurs ne se sont plus déplacés ou sont morts, et, en tout cas, ne se sont plus intéressés aux vieilles que par correspondance et ont fini par les abandonner à des milliers de kilomètres de tout, en compagnie d'infirmières spéciales qui avaient l'ordre de tirer si elles essayaient de quitter leur périmètre de taïga.

Les deux bâtiments et leurs deux étages accueillent une grande quantité d'autres odeurs, on y respire, par exemple, l'odeur des mensuels illustrés dont les couvertures célèbrent la beauté des moissonneuses-batteuses et des tracteurs à chenillettes, ou montrent des vues de l'Angara ou de l'Abakane prises depuis un radeau de géologues, quelque part dans la forêt infinie, ou encore ont pour sujet des groupes de jeunes ouvrières, bien en chair devant des pêcheries ou des puits de pétrole, ou hilares devant des centrales nucléaires, ou devant des abattoirs, charmeuses, enthousiastes. Et aussi dans les deux bâtiments flottent l'empreinte nébuleuse des cheveux de chacune d'entre nous, et celle du tablier bleu de Lioudmila Matrossian, et l'odeur des épluchures de concombre, et un remugle d'eau de vaisselle, et depuis le fond du couloir de gauche sinue l'odeur persistante des toilettes jamais vraiment bouchées ni débouchées, à quoi se mêle l'odeur des placards où on stocke les produits décapants et la mort-aux-rats, et dans les deux grandes salles communes on peut aussi percevoir, plus goudronneuse que celle des magazines en quadrichromie, l'odeur que diffusent les revues littéraires non illustrées, où des auteurs salariés relatent de façon émouvante, dans de solides constructions qui ont fait leurs preuves en littérature depuis la fin de la littérature, les exploits pathétiques de notre génération et des générations précédentes, qui toutes ont mis leur héroïsme naturel au service d'une société qui allait vers notre idéal égalitaire, et qui l'ont construite brique à brique malgré les guerres et malgré les massacres et les privations et malgré les camps et les gardiens de camps, et qui l'ont héroïquement construite jusqu'à ce qu'elle ne fonctionne plus, et même jusqu'à ce qu'elle ne fonctionne absolument plus.

Mais ce n'est pas tout, car on peut recenser aussi des odeurs occasionnelles, par exemple celle de poussière braisée qui rampe violemment à tous les étages quand, à mi-automne, on rallume le chauffage central, ou encore celle des oiseaux qui au printemps s'égarent dans la salle commune et se cognent follement en haut des murs, en constellant de peur et de guano les portraits des fondateurs de la maison de retraite, et il faut aussi mentionner les parfums de végétation qui rampent depuis l'extérieur, et, en particulier, la puissante présence des résines qui suintent sur les mélèzes noirs et les sapins du voisinage, et qui perlent sur les miradors où aucun soldat ne monte la garde, édifiés au fond du potager et sur notre demande, afin que nous ne soyons pas privées de repères et afin que l'enfermement dans la vieillesse ne marque pas une rupture trop grande avec l'univers de notre jeunesse.

Au Blé Moucheté, le catalogue des arômes comporte ainsi des centaines de chapitres. On pourrait y adjoindre des fragrances non universelles et plus discrètes, intimement liées à tel ou tel destin individuel, par exemple l'odeur qui monte aux narines de Yaliane Heifetz quand elle ouvre la boîte en carton où depuis bientôt dix-neuf décennies sont conservées les lettres de son mari Djorgui Heifetz, quatre lettres envoyées à des dates différentes mais arrivées le même jour, et jamais suivies d'autres. Safira Houliaguine était chargée du courrier à l'époque, elle travaillait à l'arrière du bureau du tri où elle surveillait les échanges de correspondance sensible, elle est venue spécialement apporter les quatre enveloppes à Yaliane Heifetz, c'était un samedi de juin, elle les a tendues à Yaliane Heifetz sans pouvoir articuler un son, ses mains grelottaient, les deux femmes se mordaient les lèvres jusqu'au sang. On pouvait lire sur les enveloppes le nom d'une localité qui n'était pas encore vraiment fondée à l'époque et qui par la suite a été supprimée : Toungoulansk, sur la rive gauche du Ienisseï. Par le texte des lettres, on apprend que la construction des premiers baraquements avance, que l'abattage se porte bien, que deux ours ont été vus rôdant près du lac Hoïba, que la température ne descend guère en dessous de zéro, bien qu'on soit déjà en septembre, et que, contre le scorbut, il y aura pendant l'hiver abondance de pignons de pommes de pin et même d'aiguilles de sapin, certains déjà s'exercent à en mâcher quand les repas manquent. L'écriture est maladroite et brisée, comme toujours quand on écrit au crayon depuis un camp du Ienisseï.

Yaliane Heifetz ouvre la boîte en carton et elle se rappelle l'après-midi de juin où Safira Houliaguine a sonné chez elle. Elle la revoit, blanche comme un linge, lui remettant les messages soi-disant composés par Heifetz. Elle déplie ces épaves de papier qui sentent le papier d'autrefois, l'encre d'autrefois, ainsi qu'une eau de Cologne dont Safira Houliaguine s'aspergeait à l'époque, avec des précautions affectueuses elle touche ces feuilles qui n'ont fixé aucune particule odorante grâce à quoi on pourrait se représenter les sapins du lac Hoïba, ou retrouver la couleur réelle des alluvions glacées sur quoi des hommes roulaient les billes de bois qui signalaient l'emplacement futur de Toungoulansk. Ni les enveloppes ni les feuilles très craquantes et à présent très jaunes ne véhiculent la moindre information olfactive, elles n'en ont jamais véhiculé, ce qui est bizarre, et ce qui, au fond, les rend suspectes. Il y a cent quatre-vingt-dix ans, quand, essoufflée et frissonnante, Yaliane Heifetz les a décachetées, cette absence d'odeurs lui paraissait déjà anormale. Safira Houliaguine se tenait à côté d'elle, éperdue elle aussi et les yeux pleins de larmes. Ce n'est pas toi qui les as écrites à sa place, pour me consoler ? avait demandé Yaliane Heifetz à son amie. Dans l'arrière-bureau de poste où elle travaillait, Safira Houliaguine aurait pu, en effet, trafiquer des enveloppes, falsifier des tampons et contrefaire l'écriture martyrisée de Heifetz. Safira Houliaguine avait secoué la tête, elle avait secoué ses nattes noires magnifiques. Et des sanglots pour toute réponse.

Yaliane Heifetz pose la boîte en carton sur ses genoux et elle la contemple pendant des heures, comme ne se donnant pas la permission de l'ouvrir sans avoir longtemps attendu, puis elle l'ouvre. Puis elle explore miette à miette les débris de papier, les mots qu'elle connaît par cœur, maintenant illisibles, et elle interroge les ultimes résidus d'odeurs. Le papier ne révèle rien de plus que ce qu'il a toujours révélé : il a bien été tenu et aplani ou plié par des mains, mais seulement par ses propres mains et par celles de Safira Houliaguine.

Pas très loin d'elle, Safira Houliaguine est assise, et, comme il y a deux siècles, elle tremble de tout son corps. Tu m'assures que ce n'est pas toi qui as écrit ces lettres ? demande Yaliane Heifetz encore une fois. Non, ce n'est pas moi, nie, pour la dix millième fois, Safira Houliaguine. Tu le jures ? insiste Yaliane Heifetz. Mais oui, je te le jure, tu sais bien, dit Safira Houliaguine, et sa voix tremble.

24. SARAH KWONG

Je faisais l'école buissonnière, ces dernières semaines. Au lieu de me rendre chaque matin au Centre éducatif de la tour Koriaguine, rue du Kanal, je passais mon temps au marché, assis à côté d'une Chinoise qui essayait de vendre des bouquets d'herbes et quelques légumes. Quand je dis une Chinoise, je pense, cela va sans dire, à Maggy Kwong, avec qui je partageais un morceau de destin depuis déjà un an. Notre activité commerciale était trop réduite pour mériter le mépris en quoi je m'obstinerai à tenir toujours et toujours le capitalisme. Elle ne demandait aucun effort et, une fois que j'avais aidé Maggy Kwong à disposer élégamment devant nos pieds les bottes de plantes médicinales que nous avions cueillies la veille au sixième étage ou sur le pont de l'ancien chemin de fer, je pouvais rester dolent pendant des heures. Maggy Kwong était comme toutes les Chinoises avec qui j'avais eu l'occasion de vivre, très jolie, austèrement travailleuse et peu expansive. Nous allions tous deux vers nos soixante ans et nous regardions passer, au large de notre éventaire, les réfugiés toungouses et allemands, les Goldes, les Russes misérables, les Bouriates, les Touvas, les réfugiés tibétains, les Mongols. Il n'y avait pas foule, d'ailleurs, seulement quelques individus somnambulaires ici et là. Dans les moments creux, le marché se vidait entièrement.

J'avais décidé de délaisser l'école. L'apprentissage me répugnait de plus en plus. Je n'arrivais plus à assimiler de nouvelles matières et je n'améliorais aucune de mes connaissances anciennes. C'est ainsi : soudain le goût de l'étude se disloque, la curiosité s'émousse, on commence à décliner et on ne s'en attriste pas. On reste assis en face d'une brassée d'épinards, on surveille du persil et on s'en contente. Quand je dis on, on aura compris que je parle de Yasar Dondog, c'est-à-dire de moi et de nul autre.

Sarah Kwong, la sœur de Maggy, animait le Centre éducatif. Je m'entendais médiocrement avec elle. J'éprouvais de grosses difficultés à suivre ses leçons et j'appréciais peu sa manière brutale de remettre en cause les évidences auxquelles je m'étais raccroché, jusque-là, pour survivre. Prenons, par exemple, le cours d'expression orale. Elle nous invitait à tourner notre attention vers ce qui se déroulait à l'extérieur, puis à nous en inspirer pour parler. Il y avait rarement plus de deux ou trois élèves dans la classe. Nous marchions jusqu'à la fenêtre, nous nous penchions. Nous observions le ciel marbré de plomb et les monticules de gravats dans les rues défoncées et désertes.

– Vous avez aussi le droit de fermer les yeux, prévenait Sarah Kwong.

Je fermais les yeux, le décor changeait ou ne changeait pas, parfois nous nous retrouvions près d'un fleuve équatorial, parfois nous étions à jamais étrangers à tout, parfois nous remuions lugubrement au-delà du bord de la mort. L'exercice consistait à revenir ensuite devant Sarah Kwong et à poser des questions ou à y répondre.

– Où sommes-nous ? demandais-je.

Sarah Kwong attendait que la question finisse de résonner, puis elle répondait :

– À l'intérieur de mes rêves, Dondog, voilà où nous sommes.

Elle prononçait cela avec une dureté évidente, en me lançant un regard qui manquait de pédagogie, négateur, comme si mon existence n'avait plus la moindre importance ou comme si ma réalité n'était qu'une hypothèse très sale.

C'est cela qui me déplaisait dans l'école, cette assurance avec quoi on démolissait mes moindres certitudes sur tout.

Sarah Kwong ajoutait :

– Et quand je dis mes rêves, je ne pense pas aux tiens, Dondog. Je pense aux miens, uniquement à ceux de Sarah Kwong.

Voilà encore une de ces phrases qui ne me réconciliaient pas avec l'école.

25. WULF OGOÏNE

Puisque nous en sommes à évoquer de lointains souvenirs, autant reculer jusqu'au primal, dont les pénibles images surgissent devant moi chaque fois que j'entreprends de fouiller quelque part dans ma mémoire. Elles sont hélas très nettes, comme si elles venaient d'hier. J'ai été mis au monde dans la peur et le chaos, on m'a fait apparaître au centre d'un cercle hurleur de vieilles, et quand je parle de mise au monde ou d'apparition je ne parle pas à la légère, il s'agit de ma naissance et pas de celle d'un autre, et, à compter de cette date que, personnellement, je marque d'une pierre noire, tout a commencé pour moi à aller mal, pas toujours très mal certes et avec des étapes parfois moins désastreuses que d'autres, mais quand même globalement mal, selon un cours qui a évolué vers le pire et vers l'échec, pour aboutir à ce nouveau cercle bavard de vieilles par quoi se bouclait la boucle, à ce fastidieux procès où siégeaient mes grands-mères au grand complet et où, en tant que repenti, j'ai dû consacrer toutes mes forces à abonder dans le sens de l'accusation, mois après mois et saison après saison accentuant la férocité de mon réquisitoire, jusqu'à ce que j'obtienne une condamnation à mort sans possibilité d'appel, immédiatement suivie par une exécution qui n'avait rien d'un simulacre, mais que cependant, comme on l'a vu, les vieilles n'ont pas réussi à mener à bien. J'espérais pourtant être enfin débarrassé du fardeau de la vie et être honorablement mitraillé devant les brebis et les chameaux, là où sur la terre ne subsistent plus que des abstractions écrasantes, du ciel écrasant et des pâturages avares. J'espérais partir sur autre chose qu'un ratage. Mais il était dit qu'à aucun moment de ma vie ne me seraient accordés le début ou la fin que j'étais en droit d'attendre. Cela remonte à loin, dès la première seconde d'éveil on observe cela, ce frustrant phénomène. Par exemple, mon jaillissement hors de l'inconscience. Sans transition, j'ai quitté l'état de latence qui si agréablement prolonge le rien pour tomber dans l'état d'agitation qui, l'espace d'une vie, précède horriblement et longuement la mort. On appelle cela l'éveil, ce passage d'un état à l'autre. Cela se produisit avec pour fond sonore les cris lugubres que mes dix-sept ou vingt-neuf ou quarante-neuf grands-mères poussaient afin qu'en moi l'esprit s'allume et afin qu'aussitôt je me contorsionne de manière vivante et que, sans perdre une minute, je me jette sur le chemin qu'elles avaient prévu pour moi. Et lorsque je parle de lugubres cris je ne plaisante pas, encore aujourd'hui il suffit que je mentionne ces mugissements rythmés et ces incantations pour me couvrir aussitôt de nouvelles excroissances et de moiteur. Toutes mes génitrices en chœur haletaient des mélopées stridentes qui se superposaient à des voix de basse sépulcrales ; Laetitia Scheidmann, qui depuis minuit avait accédé à l'état de transe chamanique, tapait sur un tambourin orné de cloches et de sonnailles en forme de juments à tête de yack ou à tête de jeune fille sorcière ou en forme d'ours. À côté de Laetitia Scheidmann dansaient Solange Bud et Magda Tetschke et une demi-douzaine d'autres, mais c'est surtout ces deux-là que je revois d'abord. Avec une force surnaturelle elles me halaient depuis l'intérieur des douze oreillers où on avait dû m'éparpiller pour que j'échappe aux fouilles hebdomadaires, et elles extirpaient du néant ma tête et mes parties carnées et incarnées et mes viscères, tout en appuyant sur ma cervelle pour vérifier que celle-ci était mûre et servirait sans flancher leurs desseins. Il était huit heures du matin. La danse de parturition avait duré toute la nuit. En raison du travail d'aiguille des sœurs Olmès, j'étais constellé de cicatrices et de coutures qui se ramifiaient vers mes entrailles molles et mes poches à produits organiques et jusqu'à mes os durs. Les broderies au point de cordonnet avaient semé sur toute la surface de mon corps des taches d'un feu acide qui ne se résorbaient pas et, au contraire, commençaient à gagner les profondeurs. Bien que je ne fusse pas encore pleinement éveillé, je devinais que ma chair allait me faire souffrir à brève échéance. Les notes graves et non mélodieuses qu'émettaient Solange Bud et Magda Tetschke, ou encore Sabiha Pellegrini ou Varvalia Lodenko, qui se démenaient beaucoup, détruisaient au fond de moi des protections et des bogues goudronneuses derrière quoi ma mort, bien inoffensive, s'était jusque-là terrée, préservant le zéro absolu de mon existence et, reconnaissons-le, ne suscitant chez moi ou ailleurs rien de néfaste. Or déjà Sabiha Pellegrini avait introduit sa main droite dans ma cage thoracique, à la manière des Mongols quand ils veulent qu'une bête cesse de vivre et devienne de la nourriture, et sa main rampait ; elle avait enfoncé ses ongles dans les parages de ma mort et elle explorait habilement les obstacles les plus noirs, et ses doigts crochus s'approchaient pour pincer férocement ma mort et la supprimer. Soudain, et sur cela s'acheva mon séjour dans la ténèbre où j'avais jusque-là gési sans dommages, des lumières ont fulguré sous mon crâne, tandis que je sentais l'inadmissible brûlure de mon premier soupir. Ça vient, il vient ! gronda quelqu'un. Les percussions chamanes redoublèrent. Un gaz fétide se ruait dans mes poumons et me martyrisait les sacs, mille braises m'incendiaient les bronches. J'ai ouvert les yeux, je vivais mes premières images. Des robes et des bonnets de feutre multicolores plongeaient et s'envolaient au-dessus de moi, des vieillardes inconcevablement vieilles m'empoignaient et me secouaient hors de l'apnée en chantant des chansons effrayantes et en dansant des danses terrorisantes, ma grand-mère Laetitia Scheidmann hululait comme une démente, ma grand-mère Solange Bud barrissait des syllabes d'outre-tombe, ma grand-mère Magda Tetschke avançait les bras vers moi et hurlait. Jugeant que l'instant était favorable, Varvalia Lodenko entama la longue récitation des tâches que je devrais accomplir pour sauver la société égalitariste et pour rassembler fraternellement les débris de gueusaille humaine qui çà et là encore erraient sur la planète. J'ai expulsé cet air qui ne me convenait pas, cherchant le vide, me débattant déjà pour accomplir quelque chose qui me mènerait à l'apaisement du vide, mais la vie s'était affalée sur moi et elle manœuvrait mes poumons pour que de nouveau et contre ma volonté je me gonfle. Peurs et douleurs étaient atroces. Voilà ce qui se présente quand on me demande de voyager jusqu'au plus extrême de mes souvenirs, ou lorsque, par exemple, vous m'interrogez sur le pourquoi de cette nostalgie d'un paradis noir qui m'accompagne et ne me lâche pas, et qui toujours, à un moment ou à un autre, visite ceux qui remuent et parlent dans l'espace de mes narrats étranges. Je suis né contre mon gré, vous m'avez confisqué mon inexistence, voilà ce que je vous reproche. Mon éveil a été un cauchemar, voilà aussi ce qui provoque ma mauvaise humeur. Je n'aime pas réentendre le tambour de Laetitia Scheidmann et revoir à côté d'elle Solange Bud et Magda Tetschke, ses amies de camp et complices de toujours, qui sous les coups d'une mesure complexe, brisée, à sept temps, à deux temps, puis à treize temps, soulevaient leur corps comme des oiseaux en train de mimer d'autres oiseaux très lourds, ou comme des anges n'ayant plus que leur déchéance à faire valoir pour jouir du respect de leur entourage. C'est de cela que je suis issu, de cette cérémonie sauvage. Ces femmes sans mort m'ont donné vie et je leur dois tout et je ne m'imagine pas ayant l'ingratitude de l'oublier, et quand je dis ces femmes je pense à vous, bien sûr, qui avez fait parler vos fusils contre moi sans me cribler de balles ; toutefois, quelle que soit ma dette à leur égard, je ne peux vous pardonner cette minute originelle, ni le destin que vous aviez autoritairement planifié pour moi, alors que je ne demandais qu'à dormir sans histoire là où j'étais, c'est-à-dire nulle part. Je me rappelle sans aucune joie la première seconde, la première minute. Je me suis dressé sur mon séant, habité par des démangeaisons épouvantables et par la sensation que j'étais en feu. Ma peau était distincte de moi et me contenait grotesquement mal, j'étais persuadé que mon derme flottait en bannières mal cousues autour de moi, en lanières pendantes, en franges horribles et douloureuses. Vous aviez revêtu pour la circonstance vos plus belles tenues brodées, d'antiques robes de mariage et des vieux manteaux de deuil dont les manches avaient pourri depuis un siècle dans vos coffres, et j'imaginais que ma peau non seulement se tordait à l'extérieur de moi, mais aussi trouvait son prolongement naturel dans ces tissus dont les odeurs de graisse de yack et de crasse nomade à présent m'enfumaient les narines et me consternaient. Il me semblait que la frontière physique entre moi et vous n'était pas établie et ne le serait jamais, et que j'étais simplement un accident survenu à votre totalité physique, à votre être collectif, et que j'irais bientôt, c'est-à-dire dès la fin de ma vie, rejoindre votre masse et m'y perdre. À cette perspective, je me suis mis à hurler de terreur, mais vous n'en avez tenu aucun compte et d'ailleurs, quand j'y pense, ma voix ne possédait peut-être pas encore suffisamment d'énergie pour parvenir jusqu'à vous. Ça vient, disait quelqu'un. Bientôt il va crier!... Ça vient, ça vient!... Plus fort, le tambour!... N'arrêtez pas de jouer du tambour!... Quand je dis quelqu'un, j'ignore de qui il s'agit, je sais seulement que ce ne pouvait être Varvalia Lodenko, puisque à cet instant elle déversait entre mes fontanelles des instructions politiques qui complétaient celles qui avaient déjà été mainte et mainte fois gravées dans la pâte cireuse de mon intelligence, et qu'il fallait maintenant activer magiquement, afin que dès mes premiers élans autonomes je fusse aiguillé sur la voie qui avait été à l'avance construite par vous. Au bout d'une demi-minute, d'autres centenaires et immortelles sont venues épauler Varvalia Lodenko. Il y avait là, préposées à l'idéologie, Katharina Zemlinski, Esther Wundersee, Eliana Badraf, Bruna Epstein, Gabriella Cheung, et encore une douzaine d'autres grands-mères du même acabit. Un formidable vacarme s'infiltrait en moi par tous les labyrinthes osseux qu'on m'avait implantés dans le crâne. Quelque chose d'ordonné s'en détachait, un discours cohérent, les voix éraillées des vieilles qui de nouveau traçaient un bilan de la société que leur génération avait édifiée et consolidée partout sur la planète, et secourue dans les heures difficiles avec une abnégation admirable, au point que même les ruines avaient fini par ne plus tenir debout. Au-dessus de moi se modelait une voûte compacte faite d'haleines chaudes et de mains arthritiques et de physionomies rudes, ravinées. Les tissus de toutes sortes créaient des tourbillons, la poussière se réverbérait d'une bouche à l'autre. Les paroles décrivaient la réalité d'après et d'avant la révolution mondiale et elles s'abattaient sur moi comme une grêle. Je recevais cela, ces phrases, ces gutturales qui détaillaient un désastre universel, et, seconde après seconde, j'améliorais ma compréhension de la situation. Mes grands-mères se contentaient, en fait, de répéter ce qui avait été prononcé au-dessus de moi pendant les mois de la gestation, alors que je gisais en plusieurs morceaux, inerte au fond des vieux lits du dortoir ou entre sommier et matelas ou dans le secret des édredons, des taies. Maintenant, les informations descendaient sur moi par paquets énormes. Je n'avais pas besoin de réfléchir pour les assimiler. Instantanément, je comprenais les instructions que les voix me dictaient, et les chiffres par quoi le monde était décrit. Le bilan était du genre à ôter tout courage. Les humains étaient à présent des particules raréfiées qui ne se heurtaient guère. Ils tâtonnaient sans conviction dans leur crépuscule, incapables de faire le tri entre leur propre malheur individuel et le naufrage de la collectivité, comme moi ne voyant plus la différence entre réel et imaginaire, confondant les maux dus aux séquelles de l'antique système capitaliste et les dérives causées par le non-fonctionnement du système non capitaliste. Sur mes épaules, les vieilles s'obstinaient à faire reposer désormais l'avenir du monde, ou, du moins, son axe. Elles me confiaient le soin de m'ébrouer, puis de sortir en courant de la maison de retraite, d'échapper à tous les contrôles, de filer par la taïga jusqu'à la capitale, puis de m'arranger pour éliminer les responsables, les ultimes hommes de pouvoir encore en exercice – fût-ce en les raccourcissant d'une tête, insistait Varvalia Lodenko –, et ensuite elles me demandaient d'improviser selon les circonstances et d'approfondir la révolution jusqu'à ce qu'une dynamique quelconque se régénère. Voilà ce qu'elles me demandaient de faire avant que les ultimes débris d'humanité fussent réduits à l'état d'impalpable poudre. Je me suis mis debout tant bien que mal. Je sentais sur moi les mains chamanes des vieilles. Leurs doigts chamanes s'acharnaient à pétrir ce qui était encore indéfini en moi, il me fallait une enfance et elles pétrissaient pour moi un ersatz d'enfance, il me fallait une jeunesse insoucieuse et des rêves et elles me transmettaient cela avec des meuglements magiques d'une densité effarante, chaque meuglement valant deux mille quatre cent une images de rêves et trois cent quarante-trois jours de batifolage insoucieux. Les étoffes chamanes remuaient des souvenirs de beurre rance et de thé baratté et de pis de yack femelle et de nomadisme pauvre, j'ai éternué. Ce bruit provoqua une onde d'allégresse, il proclamait que j'étais devenu un individu indépendant. Je me suis ensuite élancé vers la fenêtre, je fendais la foule des aïeules surexcitées, qui braillaient des formules d'adieu et des slogans révolutionnaires. Je bousculais des vestes de feutre, des pantalons de soie mongole, vos visages ridés, édentés jusqu'aux clavicules, soudain joyeux de me voir marcher et confiants en l'avenir, et soudain aussi, je le dis aujourd'hui avec le recul, magnifiques. J'ai pris de la vitesse, je me suis défenestré comme vous m'encouragiez à le faire, et j'ai traversé l'étendue herbeuse qu'il fallait traverser avant d'atteindre les miradors et la première ligne de mélèzes. Il y avait, volant à ma rencontre et s'écrasant sur mon visage, des abeilles, quelques libellules, des taons, et aussi j'ai renversé grièvement une forme qui voulait me couper le passage, sans doute Tarass Brock, l'ingénieur de maintenance nucléaire qui avait mal choisi son jour pour venir conter fleurette à la Rosa Matrossian, puis je me suis mis à galoper vers le nord-ouest, où vous m'aviez affirmé que se situait la capitale. Je m'étais enfoncé sous les arbres, dans les taillis riches en airelles rouges et en crottes de renards ou d'écureuils, sur les pistes que seuls les ours fréquentent, dans la vieille forêt impénétrable où les géants ne s'écroulent que cent ans après leur mort. La course et la solitude m'apaisaient. Il était déjà neuf heures et demie du matin. Je courais sans observer la moindre pause et sans respirer plus que nécessaire, afin de ne pas m'enivrer de résine et afin de résister à la tentation du renoncement, aux délices politiquement improductifs qu'offre la vie d'ermite dans la taïga. J'ai donc été docile à vos préceptes pendant ces moments qui ont suivi le début proprement dit. Je n'ai relâché mon rythme ni nuit ni jour. Je mesurais l'écoulement du temps par séries de douze pleines lunes. La taïga était déserte. Elle s'interrompait de plus en plus souvent, laissant place à des clairières qui parfois s'étendaient sur des milliers de kilomètres. Les routes et les agglomérations étaient devenues fréquentes. Dans la plupart des villes que j'étais amené à visiter, on pouvait rencontrer quelques hommes détruits et des femmes détruites, baignant dans une grande léthargie morale, mais, en général, il n'y avait personne. Les rues frappaient par leur silence, les maisons s'alignaient, inoccupées, les vagabonds restaient ensevelis dans leurs cachettes et ne répondaient pas aux appels. Disons, pour résumer en notre langage, que les masses n'étaient jamais au rendez-vous. Elles avaient disparu. La population à deux pieds sans plumes s'était dissoute dans le rien. Je restais en contact téléphonique avec mes grands-mères. Elles avaient repris les armes et constitué une milice de fer qui écumait les territoires situés entre Kolmogorovo et Vancouver, en se donnant pour but de rétablir une morale politique dans les foyers de peuplement que le néant avait épargnés, mais, comme elles ne rencontraient jamais personne sur qui exercer leur vigilance, elles songeaient maintenant à venir voir dans la capitale comment mes réformes avaient changé le cours des choses. J'essayais de les en dissuader, puis elles apprirent que j'avais rétabli le capitalisme, et, ce jour-là, elles m'annoncèrent qu'elles avaient entamé contre moi une procédure disciplinaire et que je n'échapperais pas aux rigueurs d'un tribunal populaire, puis elles me raccrochèrent au nez. Certaines, après l'insurrection du Blé Moucheté, avaient été euthanasiées, les autres fuyaient sans fin d'un bout à l'autre de ces continents inhabités dont nul n'arrivait plus à distinguer les contours géographiques ou sociaux. Une partie d'entre elles, avec à sa tête Laetitia Scheidmann, prit la route de la capitale pour m'appréhender. Les dernières m'attendaient sur les lieux où le tribunal siégerait, pas très loin du centre du monde, dans les parages du lac Hövsgöl. En attendant l'hypothétique arrivée du convoi pénitentiaire que mes grands-mères avaient affrété pour moi, je faisais le bilan des décennies écoulées, de mon action. Il m'avait été facile d'accéder aux plus hautes charges. Comme absolument plus rien ne fonctionnait nulle part, la concurrence entre ambitieux avait fini par s'affadir, et même les incapables avaient perdu le goût des honneurs administratifs et des médailles. L'apathie avait gagné les sphères dirigeantes, il suffisait d'ouvrir une porte et de s'asseoir pour s'emparer de ce qu'autrefois on appelait le pouvoir. C'est dans ces conditions que j'ai signé les décrets qui rétablissaient la propriété privée et l'exploitation de l'homme par l'homme, et autres abominations mafiogènes qui me semblaient susceptibles de relancer la machine de l'existence collective et de favoriser la reprise de la révolution permanente. Je reconnais ici une nouvelle fois que c'étaient un pari risqué et des décrets funestes. Concernant ma vie dans la capitale, je n'ai pas grand-chose à ajouter. À un moment, un chien est venu se frotter contre mes jambes, une bête affectueuse qui répondait au nom de Wulf Ogoïne. Nous avons été amis pendant les années de marasme qui ont suivi la signature des décrets, et si je dis marasme je ne lance pas le mot au hasard, car la réhabilitation de l'économie de marché, qui avait été une fuite en avant odieusement audacieuse, et dont j'espérais qu'au moins elle remettrait à flot quelques secteurs, ne s'est accompagnée d'aucune amélioration pour quiconque. Wulf Ogoïne avait le poil rêche, un regard intelligent, et, en dépit d'une échine un peu voûtée, une allure de chien de berger, bâtard et pacifique. Tous les soirs nous nous rendions sur une esplanade que nous avions débarrassée de ses plâtras, et nous regardions ensemble le coucher du soleil quand il y avait du soleil, ou nous prêtions l'oreille pour surprendre les bruits du capitalisme qui tentait de réorganiser ses réseaux marchands dans la capitale. Je me rappelle la manie qu'avait Wulf Ogoïne de flairer avec dédain les livres que je lisais en face de la ville déserte, ou les bouts de papier sur quoi je calculais vainement combien de temps j'avais vécu avant ma naissance et combien de temps il me restait à vivre. Je me rappelle ses aboiements clairs, ses crocs blancs, son odeur d'été, son odeur d'hiver. D'après mes calculs, j'ai existé dans le noir pendant vingt milliards d'années, j'ai quarante-huit ans, et j'ai eu, en tout et pour tout, un seul ami, ce Wulf Ogoïne. Quand Laetitia Scheidmann a franchi le seuil de mon taudis pour me passer les menottes, il est reparti je ne sais où, peut-être pour aller vivre solitairement dans le quartier du Kanal ou ailleurs. J'ignore si je retrouverai un jour cette inexistence noire d'autrefois, ou si on me fourrera de force dans autre chose, et j'ignore si, dans cet autre chose, je pourrai de nouveau être avec mon ami Wulf Ogoïne.

26. YASAR DONDOG

Ou encore, celle qui prétend être psychothérapeute laisse Evon Zwogg se débrouiller pendant des heures en face d'un jeu de photographies en noir et blanc, qu'elle dépose sur la table lisse, toujours les mêmes, toujours ces mêmes clichés sans surprise, avant de monter à l'étage supérieur où elle s'occupe d'un Centre éducatif.

– Je vais revenir, Zwogg, ne sors pas, dit-elle.

On entend au plafond ses pas irréguliers, quelqu'un déplace un parpaing de ciment, une caisse. Ensuite, le calme règne.

La ville est immobile derrière les fenêtres sans vitres. Quand le vent souffle, une poussière rougeâtre forme sur le sol des marbrures mouvantes et rougeâtres, comme sur la planète Mars, à ce qu'on dit. Le ciel est souvent si éblouissant qu'il perd toute couleur. Des nuées d'hirondelles font des rondes vertigineuses entre les immeubles du Kanal. Elles se chamaillent avec des cris perçants pendant environ trois quarts d'heure, puis, brusquement, elles s'en vont. Le silence se rétablit dans la pièce. Evon

Zwogg manipule les photographies qu'il connaît par cœur, et d'autant mieux qu'il s'agit de huit tirages d'un même négatif, ne présentant entre eux que des différences de contrastes. Parfois, celle qui prétend savoir guérir les fous descend de l'étage du dessus, elle ouvre la porte, demande à Zwogg s'il a quelque chose à dire à propos des photographies. Zwogg hausse les épaules. La femme attend une minute puis referme la porte et remonte. Elle est belle, de cette beauté discrètement céleste que possèdent la plupart des Chinoises. Elle porte une tenue décontractée, en jeans délavés, avec une veste de jeans et un tee-shirt noir. Avant de refermer la porte, elle promet de revenir bientôt.

Quand les hirondelles ne les pourchassent pas et par les jours où le vent est faible, des libellules entrent par la fenêtre. En raison de la forte luminosité du ciel, on ne peut pas toujours admirer leur grâce. Disons qu'elles sont souvent d'un bleu qui tend vers le bleu turquoise. Certaines frémissent devant Evon Zwogg, au-dessus des photographies. Par désœuvrement, il arrive qu'Evon Zwogg en attrape une et la mange.

C'est un peu plus tard, ce jour-là, que je pénètre dans la pièce presque vide où Evon Zwogg rêvasse, et, quand je dis je, je pense surtout à Yasar Dondog, autant le dire franchement dès le début. Je m'assieds à côté de lui, dans la poussière de brique, de rouille, martienne, au milieu des débris de libellules. Nous faisons connaissance. Après un moment, je lui parle de Maggy Kwong.

– La psy ? Tu vis avec la psy ? s'ébahit Evon Zwogg.

– Non, dis-je. Pas avec elle. Elle, c'est Sarah Kwong.

Je vis avec sa sœur, Maggy. On vend des légumes sur le marché.

Rassuré, Evon Zwogg remue les photographies qui attendent en face de lui, et il en choisit une et appuie dessus son doigt trempé de sueur.

– Tu vois, ici, c'est autrefois. C'est mon grand-père.

Je me penche à mon tour. Sur le bristol abîmé, il y a un paysage de neige, à l'écart d'une voie ferrée, et trois hommes, deux habillés de guenilles civiles et l'autre, qui les menace sans conviction avec un couteau, emmitouflé dans des guenilles militaires. On peut situer cela n'importe où, à n'importe quelle époque.

– C'est lequel ?

– Lequel quoi ? sursaute Evon Zwogg.

– Ton grand-père ? Des trois types, c'est lequel ?

Evon Zwogg prend un air offusqué. Il remet toutes les photos en pile et il les retourne pour que je ne puisse plus rien voir. Ses doigts tremblent. Je ne sais comment replâtrer entre nous ce qui pourrait l'être.

– Et toi, dit-il soudain, avec violence. De nous deux, tu es lequel ?

27. RITA ARSENAL

Quelques données avant la visite, quelques repères chiffrés. Ma mort a cent milliards d'années, ce en quoi elle égale celle de tout un chacun, et ma vie a quarante-huit ans ; j'ai déjà dit ici et ailleurs que j'ignore si cela a une fin, et combien de temps il faudra fuir pour atteindre cette fin. Autres chiffres. Les sapins, mélèzes et arolles qui nous entourent ont des hauteurs comprises entre trente-quatre et cinquante-sept mètres. La fourmilière devant laquelle nous nous trouvons, qui a l'air désertée mais ne l'est pas, étend ses galeries souterraines sur une distance de trente mètres. Le réseau permet aux fourmis d'arpenter en toute discrétion la totalité des vestiges qui nous intéressent. En ce moment, la température dans les sous-bois est de vingt-quatre degrés, mais, en hiver, le thermomètre descend à moins quarante, avec des pointes aux alentours de moins cinquante. Le silence alors est cristallin. La forêt semble absolument morte d'ici au fleuve, qui est immobilisé sous les glaces pendant cinq mois. Les mammifères sont moins nombreux qu'autrefois, j'entends par autrefois le moment où l'insurrection a été déclenchée. Quelques écureuils gambadent en altitude durant le mois de juillet, on voit parfois trotter un renard, mais aucune espèce n'a récupéré assez de richesse génétique pour pulluler. Depuis longtemps on ne rencontre ici de loup et d'ours que dans ses rêves. Quand je dis on, je ne pense à personne en particulier. Quelques données chiffrées encore. L'insurrection de la maison de retraite a eu lieu deux ou trois cents ans après la révolution mondiale. Le bâtiment, aujourd'hui invisible, abritait une quarantaine de vieillards, principalement des sujets femelles, dont la résistance à la mort n'était plus à démontrer. L'aptitude à feindre l'immortalité ne faisait même plus l'objet de querelles scientifiques, sans doute aussi parce que quatre-vingt-quinze pour cent des savants s'étaient déjà éteints à ce moment-là. Un vétérinaire de la capitale envoyait chaque année des questionnaires que la directrice remplissait tant bien que mal ; le dossier était remis à l'équipe postale lors du passage de celle-ci, car il existait encore, à l'époque, un service de ce genre. Le personnel comptait une directrice, un garde forestier qui, pendant les mois d'hiver, partageait le lit de la directrice, et cinq bonnes à tout faire, parmi lesquelles on a coutume de citer une mère et sa fille, la Lioudmila Matrossian et la Rosa Matrossian. Les objets conservés sont en petite quantité et ils témoignent d'une existence autarcique, dans un cadre qui présentait l'avantage d'être à la fois douillet et carcéral. Outre le mobilier et le matériel ménager, on recense aussi une fourgonnette que le garde forestier conduisait sur les sept kilomètres de voie carrossable autour de la maison de retraite. Une légende relate que le véhicule est tombé en panne pendant un défilé, le jour où était célébré le bicentenaire de la naissance des Komsomols, organisation fort populaire chez les vieilles, et qu'il n'a dès lors plus jamais roulé. On peut distinguer les débris de l'épave, aspirés au-dessus du sol par la croissance d'un mélèze géant, dans la zone ouest du site : la forêt a repris ses droits. Autres chiffres, cette fois à propos du relatif isolement géographique du Blé Moucheté. Il existait à vingt-deux kilomètres une ancienne ferme expérimentale, avec des serres à combustion nucléaire que les fermiers avaient abandonnées après que le cœur atomique de la pile eut commencé à fondre. Cette entreprise était fermée au moment de l'insurrection. Deux ingénieurs y séjournaient pour assurer la maintenance des installations. Il s'agissait d'un homme de cinquante-deux ans, Tarass Brock, et de Rita Arsenal, une physicienne qu'une dépression avait affaiblie, et qui passait son temps, paraît-il, assise sur la cuve nucléaire, sur le béton brûlant, à écouter le grondement de la fission et à murmurer des récits post-exotiques en fermant les yeux. Tarass Brock faisait de fréquentes incursions au Blé Moucheté, sous le prétexte d'organiser des séances de décontamination. En réalité, il tournait autour de la Rosa Matrossian, et, le jour de l'insurrection, il avait apporté à celle-ci un panier d'airelles rouges dans l'intention de faire céder les résistances qu'elle développait toujours quand il était question d'activité sexuelle. Mais commençons à présent la visite, qui comprend quatre volets, un par point cardinal. On pourrait également abréger les choses en restant au même endroit, par exemple au pied de ce sapin, près de ce monticule que j'ai déjà signalé à votre attention et qui n'est autre qu'une fourmilière géante édifiée autour d'un des compteurs Geiger ayant appartenu à Tarass Brock. On voit ici un chicot couvert de mousse, il nous indique que nous sommes bien arrivés sur le lieu des ruines et non n'importe où ailleurs dans la taïga. Considérons qu'il y avait là une façade. Devant nous s'étendent la salle à manger, le couloir, la cuisine. Le dortoir où Will Scheidmann a été conçu se trouvait au premier étage. Avec un effort, on peut imaginer Will Scheidmann qui saute par une fenêtre, atterrissant sur un massif de bégonias, là où ici un pin s'élance, et aussitôt rebondit avec souplesse et, après avoir bousculé grièvement Tarass Brock, entame sa longue course vers le nord-ouest. Dans la cuisine, ce jour-là, la Rosa Matrossian faisait déjà chauffer le thé salé pour le petit déjeuner. Le panier d'airelles rouges embaumait sur un coin de table. Sur le seuil de la maison, Tarass Brock avait disposé des instruments servant à mesurer les radiations, et qui étaient réglés pour ne crépiter que dans des circonstances extrêmes, par exemple à proximité d'un torrent nucléaire, ou entre les bras de Rita Arsenal. La matinée était déjà chaude. Des cigales écloses près de la ferme expérimentale avaient envahi la contrée et manifestaient leur désir d'imposer leur norme musicale au monde. Toutefois, ce matin-là, le brouhaha n'avait pas les insectes mutants pour origine. Il y avait les brailleries chamaniques qui aidaient Will Scheidmann à s'extirper du néant, et le bruit des corps à corps qui se multipliaient dans le bâtiment, car le personnel comme toujours s'opposait au projet des vieilles. Vous avez ici le coin que Yaliane Heifetz appelait le boudoir. Il y trônait un poste de télévision qui ne recevait plus rien depuis soixante ans, en raison de l'interruption des émissions. Là où en ce moment frémissent des fougères colossales, Yaliane Heifetz s'asseyait et elle remuait des souvenirs de jeunesse, des anecdotes vécues au temps où elle dirigeait une agence de lutte internationale contre le capitalisme. La Rosa Matrossian a été acculée dans ce coin, la carpette sous ses pieds a glissé, elle s'est rattrapée maladroitement à l'étagère qui soutenait la télévision, le récepteur lui est tombé sur le crâne et l'a fracassé. On ne voit aujourd'hui ni le récepteur ni les carcasses de canapés ou de fauteuils qui permettraient de se faire une idée des tranquilles soirées qui se déroulaient dans ce boudoir. Les gravats ont longtemps sali le paysage après l'écroulement du toit puis du premier étage, mais, maintenant, ils ont disparu. Les pluies et la fonte des neiges ont déplacé les vestiges, le vent a dispersé des poussières essentielles, l'humus a adouci les ruines, plusieurs générations d'arbres ont effacé les traces. Plus loin, derrière ce tronc de mélèze, surgit le début de l'escalier où la Lioudmila Matrossian a été repoussée par les vieilles, et où une aide-soignante a eu le cou brisé, ainsi que la directrice qui était montée dans le dortoir un peu avant. La directrice avait été reçue par un comité d'accueil armé de conques rituelles, et aussitôt elle avait gési jambes pantelantes sous un lit du dortoir, à gauche en entrant, dans une mare de pipi et de sang. Le bruit des combats ce jour-là troubla la maison de retraite jusqu'aux alentours de midi. Orientez à présent votre regard vers le tapis de mousses qui fait face à cette souche. Vous apercevez une structure oblique qui ressemble à une deuxième fourmilière. Il s'agit en fait d'un deuxième mur. Contre ces briques s'est affalée Rita Arsenal, quand, après un hiver qu'elle avait passé seule, en vain guettant le retour de Tarass Brock, elle a décidé d'aller voir du côté de la maison de retraite. La nuit, à présent, l'endroit est phosphorescent. La mort de Rita Arsenal avait environ cent milliards d'années, comme celle de tout le monde, et sa vie avait, à l'époque, quarante-cinq ou quarante-six ans. On ne sait pas où Rita Arsenal se trouve en ce moment, et dans quel état. La visite est terminée.

28. FREEK WINSLOW

Après six cent quatre-vingts nuits de marche, quelque chose changea sur notre chemin. L'atmosphère n'était plus la même. De plus en plus souvent, nous nous heurtions à de grandes tentures placées en travers de la route, que nous devions ouvrir au couteau ou dont nous devions agrandir les déchirures à la force des bras. Certains prétendaient qu'il s'agissait de toiles d'araignée, d'autres soutinrent que nous étions en train de rêver et que, si des organismes vivants avaient ainsi réparti des draps d'une si considérable largeur et résistance, ce n'était pas pour nous piéger ni même pour nous retarder, mais uniquement pour être prévenus que nous approchions et que nous allions bientôt déboucher dans leur réalité. Billevesées, trancha notre capitaine, un nommé Brickstein. C'est une manufacture de voiles que nous parcourons, décida-t-il, une fabrique immense, abandonnée depuis des siècles. Nous écharpons des focs, des perroquets et des perruches. Une odeur de poussière salée s'était déposée sur nos mains, une odeur de fil moisi, une odeur de goudron, de prélart, sur nos cheveux et nos vêtements, une odeur de boucan, de laizes dépecées, sur nos lèvres. Nous nous étions écartés l'un de l'autre afin de ne pas nous blesser, et chacun en solitaire sabrait les invisibles suaires et dans leurs ouvertures se faufilait.

Nous avancions ainsi, à tâtons, ralentis en permanence, les mains s'écorchant contre les pliures rêches du tissu, lorsque brusquement, au cœur du six cent quatre-vingt-sixième jour, la vigie annonça qu'elle distinguait des lueurs. Une heure plus tard, nos propres rétines confirmèrent l'information.

De l'obscurité absolue nous étions passés au crépuscule.

Sans émettre de hourras, mais avec en surface de l'âme une électricité qui nous poussait à converser et même à rire, nous laissâmes la voilerie derrière nous et avançâmes vers la grisaille, et bientôt nous fûmes arrivés dans une petite bourgade portuaire. Notre groupe ne comptait plus que cinq individus : Jean Brickstein, le capitaine, Meetraf Vaillant, la vigie, Freek Winslow, le maître de manœuvre, Nayadja Aghatourane, notre chamane, et Khrili Gompo, le voyageur.

Au bout d'un moment, nous franchîmes une cour borgne, un dernier couloir de terre, et, comme le chemin s'arrêtait là, la bonne humeur nous quitta. Des résidus de soleil couchant pigmentaient en violet l'endroit où nous avions débouché. Derrière nous pointaient les chicots d'entrepôts effondrés. Nous zigzaguâmes entre les gravats et, parvenus en bordure des bassins, nous considérâmes sans rien dire les barques démolies, couchées pour toujours dans la vase. Le décor avait des couleurs épouvantables. L'estuaire n'était plus qu'une navrante étendue de boue et, au loin, à plus d'un kilomètre, la dentelle des premières vagues évoquait une vomissure.

– Eau salée à douze cents mètres, estima la vigie.

Sans accepter que quiconque l'accompagnât, Freek Winslow alla jusqu'au môle, jusqu'à une cassure dans la pierre, et, ne pouvant plus progresser, il revint sur ses pas.

Il n'y avait personne sur le port et personne sur l'océan. La seule masse que l'on pouvait discerner à l'horizon évoquait un îlot, mais la vigie nous assura que l'îlot en question ne mettrait guère plus d'une semaine à disparaître, le temps que la viande se décompose et finisse d'être déchiquetée par les mouettes et par les crabes. Le temps que quelle viande, demanda Khrili Gompo. Ayant scruté mieux, nous aperçûmes là-bas, en effet, une montagne de flasque chair. Un calmar géant s'était échoué sur un banc de sable et n'avait pas pu protester à temps contre la mort. Comme, du point de vue des oiseaux diurnes, on avait atteint une heure déjà fort incongrue, les mouettes ne l'assaillaient plus.

Freek Winslow tourna le dos à ce spectacle et s'assit sur une bitte d'amarrage. Il avait fermé les yeux. Il faisait face aux ruines et, à travers ses paupières closes, il simulait un intérêt pour la nuit, pour sa manière d'envahir l'agglomération déserte.

C'était à Freek Winslow qu'on s'en remettait désormais pour les décisions d'importance ; durant notre pérégrination, le capitaine avait commis tant d'erreurs qu'il avait perdu toute autorité ; quant à Nayadja Aghatourane, la chamane, elle aurait pu être de bon conseil, mais son autisme naturel avait évolué dans le mauvais sens, et elle ne communiquait plus avec nous.

Après une minute de prostration, Freek Winslow se mit à parler.

– L'affaire est mal engagée, dit-il.

Nous nous étions assis sur les gravats. Khrili Gompo se retenait de respirer. Nous devinions qu'un jour viendrait où il ne pourrait plus différer sa disparition, un jour où sa plongée se terminerait et où il s'évanouirait.

– La promiscuité nous rendra fous, poursuivit Winslow. Dans les conditions qui nous attendent, l'enfermement sera vécu comme un cauchemar. L'idée d'être ensemble va nous peser. Nous détesterons cette idée au point d'en crever et d'avoir envie de nous mordre les uns les autres et de nous battre. Nous ne surmonterons pas notre agressivité, cette pulsion répugnante qui est en nous, ce besoin animal répugnant qui nous dicte de nuire à notre prochain et de le vaincre. Être nuit et jour emprisonnés sous cette voûte hermétique nous fera perdre toute notion de fraternité, toute notre élégance.

Il se racla la gorge. Sa prédiction nous terrorisait d'autant plus que nous avions du mal à la comprendre. Faisait-il allusion à quelque chose d'imminent ou à quelque chose qui concernait un très lointain avenir ?

– Nous finirons par accepter notre extrême laideur morale, murmura-t-il encore. Ce sera horrible.

Comme il n'ajoutait rien, au bout d'une heure ou deux nous nous dispersâmes.

De nouveau, l'obscurité nous enveloppait. Nous étions toujours cinq, respirant encore ou nous retenant de respirer, suffisamment éloignés les uns des autres pour ne pas être tentés par la morsure, l'assassinat ou le dépeçage.

Pendant plusieurs années, de Freek Winslow nous ne reçûmes plus de nouvelles. De temps en temps, le vent nous envoyait des criailleries de mouettes, des puanteurs de cachalots en décomposition ou de calmars. Parfois nous nous réveillions, parfois nous allions errer au milieu des ruines, parfois il ne se passait rien pendant des mois. Les termes du discours de Winslow ne se réalisaient pas. Nous nous sentions oppressés, l'enfermement nous obsédait et nous brisait, notre élégance avait dégénéré, mais nous patientions sans nous battre. Parfois nous nous réunissions à proximité du môle. Nous échangions une poignée de phrases, puis nous nous glissions ailleurs, vers plus obscur encore, dans des abris individuels dont chacun de nous conservait secret l'emplacement. De temps en temps, certains partaient à la découverte d'une route vers l'océan et s'embourbaient, ou bien essayaient de réparer des barques et se blessaient.

Finalement, nous avons résisté aux pulsions criminelles. Nous savons maintenant que Freek Winslow était parti travailler dans la ville voisine, comme conducteur d'autobus. Vaillant, la vigie, s'est marié récemment à une autochtone, il ne fréquente plus le quartier du port. Khrili Gompo ne reparaît plus. De notre capitaine nous avons appris qu'il avait profité de la réhabilitation du capitalisme pour ouvrir un commerce de brigantines ; mais il n'a aucun client et il s'en plaint. Je crois qu'il vaut mieux, dans notre situation, ne pas s'agiter et attendre. Quand je dis je, je pense à Nayadja Aghatourane, et quand je dis attendre, c'est sans savoir ce qui peut venir.

Je ne bouge pas.

J'attends ici en face de l'océan, en face de ce qu'il en reste.

29. JESSIE LOO

Une fois atteinte la norme de travail que je m'étais fixée, je m'adossais aux gradins de ciment du terrain omnisport et je regardais les équipes locales de basket-ball qui participaient à un tournoi amical, tandis que le soir peu à peu devenait dense, et que les moustiques attaquaient sans pitié les peaux ruisselantes, commando après commando se posant sur tout ce qui charriait encore en soi du rouge. Lors de telles rencontres sportives, peu importantes, les projecteurs du stade n'étaient pas allumés, et les joueurs devaient se contenter de la lumière que dispensaient les lampadaires de la rue voisine. Les basketteurs œuvraient dans une obscurité de plus en plus épaisse, gesticulant à la fois pour contrôler un ballon qu'ils voyaient mal et pour écraser par douzaines les bestioles qui les piquaient sous les cuisses ou derrière la nuque. J'entendais ces gifles, le halètement des joueurs, le rebond du ballon, l'écho métallique du panier à chaque fois qu'un tir aboutissait, ainsi que des interjections tactiques ou de dépit. Les équipes étaient généralement féminines et, à en juger par la phonétique des exclamations, composées de réfugiées chinoises. L'inconfort des gradins interdisait de rester longtemps dans la même position. Je me levais, je m'appuyais contre le grillage. C'est alors que Clara Güdzül passait devant les affaires que les joueuses avaient abandonnées sur la première ligne des gradins. Elle se faufilait sous la tribune, une tige de fer à la main, à la recherche des bouteilles de plastique et des boîtes d'aluminium qui avaient échappé à ma vigilance. Elle jetait cela dans un sac plus grand qu'elle, pour les revendre à un récupérateur, ainsi comme moi gagnant de quoi subsister, car maintenant le capitalisme nous offrait la promotion individuelle et l'initiative privée, au lieu de la pension et du mouroir à quoi nous avions pensé toute notre vie avoir naturellement droit. Clara Güdzül fourrageait dans les recoins avec son crochet, elle se mettait sans façon à quatre pattes pour récupérer son butin, totalement imperméable au regard qu'autrui ou des rats ou des araignées pouvaient diriger sur elle, puis elle repartait, très voûtée, naine, noire, en bougonnant. Le match continuait derrière nous, mais, le plus souvent, je me décidais à la suivre, traînant avec bruit mon propre sac, car, si nos destins de vieillardes pouvaient sans peine se confondre, rien de solide, en revanche, ne me liait aux basketteuses chinoises. Nous cheminions quelques hectomètres avec sur nos talons le vilain tintamarre des sacs et sans échanger une parole, nous sachant certes très proches l'une de l'autre mais n'ayant rien de spécial à nous dire. Bientôt nous dépassions les rues jaunies par l'éclairage dit urbain, et nous rejoignions nos quartiers de prédilection, c'est-à-dire de naufrage.

Cette fois-là, Clara marchait devant moi depuis plus d'une demi-heure, à son allure trottinante de vieille, gênée par la chaleur nocturne et par la tige de fer qu'elle portait en travers de la poitrine comme un fusil. Elle avisa une cabine téléphonique au-delà d'une flaque qui s'était élargie sous les pluies de la semaine précédente. À la surface de l'eau proliféraient des lentilles des marais, d'un vert que la nuit occultait mais qu'en plein jour on aurait été ému de voir, et quand je dis on je pense ici surtout à moi-même, c'est-à-dire à Jessie Loo. Une couleuvre, dérangée par les bruits de pas, s'enfonça dans la boue en fendant la couche végétale ; entre les bords de la coupure, l'eau était formidablement noire. La vieille femme contourna la flaque. Elle allait pieds nus. L'air embaumait la cannelle moisie, le croupi caoutchouteux, l'orchidée. Ce sont des parfums qui envoûtent, dont on ne se lasse pas. Des papillons de nuit frôlaient l'apparence des choses, sans couleur dans les ténèbres mais peut-être blancs ou orange, et ils effleuraient la chaussée inondée, les palmiers au bout de la rue, les taxis qui patientaient devant le bâtiment des télégraphes, ou peut-être vermillon malgré la nuit, ou cramoisis, ou bleu pétrole. Clara Güdzül avançait au milieu d'eux. Elle s'agrippa aux montants de la borne de bois qui supportait le téléphone et elle hissa ses mains et sa tête jusqu'à l'appareil. Elle était très rabougrie, moins haute que son crochet, sa robe bariolée pendouillait vers les herbes mouillées, la ceinture qui aurait dû retenir ses vêtements ne retenait ni ne serrait plus rien, on voyait entre deux plis son corps diminué de vieille, ses mamelles en forme de piments flétris, moi aussi comme elle je n'avais plus ma grâce d'antan, ma prestance de jadis, on flottait à côté de moi sans me voir. Quand je dis on, je ne pense à personne en particulier, car il n'y avait pas foule sur le trottoir, en dehors des papillons qui n'avaient pas de personnalité identifiable. Clara Güdzül composa le numéro 886, puis elle s'installa pour somnoler en attendant que la communication s'établisse. Je m'accroupis de l'autre côté de l'appareil. Clara Güdzül m'entendait, elle percevait une respiration au bout du fil, mais, comme elle n'avait pas parlé depuis longtemps, elle hésitait avant d'élaborer une phrase. Donnez-moi Varvalia Lodenko, finit-elle par dire. C'est pourquoi ? demandai-je en déformant ma voix. Ici Clara Güdzül, dit-elle. Je voudrais des instructions pour les années à venir, rien de plus. Ici Varvalia Lodenko, mentis-je. C'est bien que tu aies appelé, Clara. C'est toi, Varvalia ? s'anima-t-elle. Je suis contente de t'entendre. Où es-tu ? demandai-je. Je ne sais pas, répondit-elle. Il y a sept ou huit ans, je tournais autour de Luang Prabang, mais j'ai beaucoup marché, depuis. Luang Prabang, soupirai-je. Là-bas aussi, ils vivent sous le capitalisme, maintenant ? Je ne sais pas, dit-elle. Il n'y a presque plus personne nulle part. Quelques maisons encore tiennent debout, quelques temples sur les rives du fleuve. Il y a une équipe de basket. Et les capitalistes ? m'informai-je. Les riches ? Je ne sais pas, dit Clara Güdzül. J'aimerais bien en éliminer quelques-uns, mais je n'en rencontre jamais. Si tu en vois, tue-les, dis-je. Fais-toi aider par les basketteuses. Je n'en rencontre pas, insista-t-elle. Je ne rencontre personne nulle part.

30. CLARA GÜDZÜL

Les bouteilles et les boîtes s'entassent dans la cour du revendeur, deux pyramides que la nuit rend presque uniformément bleuâtres. Les tas croulent, il y a toujours un animal qui les dérange, un rat ou un chien, occupé à y fouiner en quête d'un reste de sucre, et parfois c'est un singe, un macaque tout aussi famélique et pelé. On entend le bruit de ces escalades furtives. Des boîtes roulent brusquement, quelque chose s'enfuit. Quand l'amoncellement se tait, dans les bananiers des alentours se réveillent les scies nocturnes des insectes, un charivari suraigu qui contraindrait à hausser le ton, si toutefois on avait des mots à dire. Or quelle conversation pourrait-on bien lancer en ce moment, et quand je dis on je pense ici un peu à Clara Güdzül qui émerge de la nuit, comme chaque soir, avec son sac de chiffonnier qui tintinnabule derrière elle, avec son crochet qui ressemble à une carabine, avec son échine courbée d'Untermensch, avec son air d'immortelle crasseuse. Quelles phrases pourrait-elle bien adresser, et à qui ? Quels fragments de réponse pourrait-elle bien espérer, et de qui ?

Sous l'éclairage déplorable, voilà maintenant que Clara Güdzül fait peser son butin du jour, et ensuite elle le trie, car on exige qu'elle sépare le plastique de l'aluminium. Le on se réfère ici beaucoup moins à Clara Güdzül que tout à l'heure, évidemment. Puis elle reçoit son dû, ses dollars, puisque l'argent a été réintroduit dans la société en même temps que le principe du commerce. On lui donne en général deux dollars.

– J'arrondis au-dessus, parce que c'est toi, dit le revendeur.

Clara Güdzül coince les billets immondes sous son aisselle, dans une poche qu'elle cache là, puis elle redresse la tige de métal qui lui barre la poitrine, et elle repart. En maugréant ou en silence, selon son humeur, elle se retire au-delà du cercle de lumière.

Elle se dissout dans la rue.

Elle n'est plus là.

Suspendue à l'entrée de la boutique, une lampe à acétylène éclaire la balance, le comptoir et la trogne amère du revendeur, son visage alcoolique de gagne-petit, et, devant le comptoir, l'espace jonché de capsules et de charpies variées et de rouille, car le revendeur récupère aussi des papiers et de la ferraille.

Parfois, n'ayant pas en caisse de quoi rémunérer ses fournisseurs, et quand je parle de fournisseurs je pense essentiellement à moi-même et à Clara Güdzül, le revendeur les paie avec des ordures, en piochant dans son tas d'ordures. Au lieu des deux dollars habituels, il leur donne une des bouteilles en plastique que nous venons de récolter et il y ajoute quatre ou cinq revues prises sur sa pile d'illustrés.

– Allez, dit-il. La cinquième est en prime. Une jolie, toute en couleurs.

Clara Güdzül ne proteste pas, elle sait qu'on ne proteste pas contre les pratiques des capitalistes et qu'il faut simplement patienter jusqu'au jour d'émeute où on pourra tuer celui qui vous a causé du tort, et elle rejoint l'ombre.

Sous les grands arbres, elle parcourt des sentiers détrempés, elle trottine environ un quart d'heure en direction du fleuve, assaillie par les moustiques, allant à travers la nuit qui jacasse autour d'elle et qui embaume, et elle finit par se retrouver dans ce qu'elle nomme son chez-moi, une paillasse que des feuilles de bananier protègent de la pluie et du malheur, avec un carré de terre sèche et une réserve de petit bois. Elle s'assied, elle se repose, elle respire par petites bouffées régulières. Elle ne dort pas, depuis qu'elle a soufflé ses deux cent cinquante-neuf bougies elle a perdu le sommeil, elle n'a plus besoin de dormir.

Elle attend que la lune monte au-dessus du fleuve et qu'elle scintille, sur les eaux qu'entre les troncs on aperçoit.

Quand la luminosité le permet, elle tend la main vers les vieux magazines qui représentent son salaire et elle les feuillette. Ce sont des publications qui auraient pu avoir du succès si l'humanité n'était pas en train de s'éteindre, des revues patronnées par la mafia, avec des photos de filles nues, des femmes jeunes qui devant l'objectif ouvrent les cuisses et écartent même les lèvres de leur vulve, pour le cas où on désirerait en voir encore plus. Avec une tendresse fascinée, Clara Güdzül contemple ces détails anatomiques que rien ne censure. Il y a extrêmement longtemps qu'elle ne sait plus à quoi elle-même ressemble quand elle est habillée ou nue, et elle a tendance à imaginer que, d'une manière ou d'une autre, son corps continue à s'organiser comme ceux qui ici s'exposent, comme les volumes et les sillons intimes qui ici s'exposent. Elle croise le regard non souriant de ces filles qui sourient, elle interroge leur docilité prostituée, elle leur demande si la mafia leur a fait mal, si poser leur a fait mal, et combien de dollars elles ont reçus, et si elles savent que c'est Will Scheidmann qui a instauré le retour de la société marchande, et si le nom de Varvalia Lodenko leur dit quelque chose. Elle leur parle avec prudence, pour ne pas les heurter, elle suppose qu'elles sont aujourd'hui totalement dévastées ou déjà mortes.

La lune brille sur les eaux du fleuve, la nuit brille, il y a des chiens qui aboient près du débarcadère, Clara Güdzül parle avec les filles nues, elle leur signale qu'elles ont ici et là des grains de beauté qu'il vaudrait mieux surveiller, et aussi qu'on devine dans leurs yeux un voile de lassitude, et elle leur promet qu'elle va venir, que nous allons venir, que nous allons de nouveau supprimer le système des dollars, et elle leur montre sa carabine appuyée contre un palmier et elle dit : Je vous assure que vous pourrez vous-mêmes fusiller les mafieux et Will Scheidmann si ça vous soulage, si vous ne savez pas quoi faire pour réparer le gâchis. Et ensuite elle dit : De toute façon, je vais vous envoyer une cassette où Varvalia Lodenko explique ce qu'il faut faire quand il n'y a plus rien à faire.

31. JULIE RORSCHACH

Il se lève, Djimmy Iougriev, un parvenu de la nouvelle ère, et pour lui comme pour le reste du monde la matinée commence mal, dehors souffle un vent de poussière, la capitale est noyée sous une grêle fine, comme autrefois pendant la tempête les villages dans le désert, au temps des oasis, au temps où les dunes n'avaient pas rampé hors de leurs lits torrides pour parcourir des régions jadis prospères et pour les étouffer jusqu'à ce qu'elles acceptent la domination sans partage du rien, au temps où sur les cartes les noms de pays avaient encore une signification, citons pour la beauté du nom l'Ontario, le Dakota, le Michigan, la Tchoukotka, la Bouriatie, le Laos, au temps de l'ancien système marchand, des anciens dollars, des anciens camps, et aujourd'hui la capitale est sous le souffle, l'haleine de la terre mourante crépite sur les maisons, et, quand Djimmy Iougriev entre dans la salle de bains, que malgré le luxe de l'appartement aucune plaque de verre n'isole des assauts de l'extérieur, le sable lui picote les mains et la figure, et il reste hébété, déçu par la nature friable de la matière, derrière quoi il perçoit aussi la nature fragile de sa propre existence, et ensuite il regarde par la lucarne qui donne sur l'ouest, de la ville il ne voit que des traînes mouvantes et martiennes, rouge brique, ocre rouge, et, après avoir fermé les yeux et toussé, car d'impondérables particules de pierre se sont glissées dans sa gorge et sous ses paupières, il dévisse le robinet du lavabo et rien ne coule, et il grommelle quelques mots sur cette matinée qui commence mal, et autour de cette idée de début son esprit travaille et lui restitue ses impressions de réveil, le moment où il a cessé de dormir, entendant le grésillement du sable sur les vitres, car comme beaucoup de nouveaux riches il a pu se procurer des vitres pour les fenêtres de sa chambre, et il se rappelle cette brève seconde vacillante pendant laquelle il a oublié le rêve qu'il était en train de faire, or maintenant il retrouve l'image ou plutôt la dernière séquence de son rêve, soudain très claire, accablante, sans conteste prophétisant quelque chose de terrible, il est debout sur la terrasse d'un bungalow sordide où il se protège d'une pluie diluvienne, et il s'adresse à une femme qui ne lui répond pas, il connaît pourtant son nom, il l'appelle pourtant par son nom, Julie Rorschach, elle a été son amie de corps et de destin depuis le début de son rêve, soixante-huit ans auparavant, il l'a accompagnée jour et nuit et il a vu sa raison vaciller, mais là elle ne lui répond pas, sa folie s'est aggravée, elle a peut-être décidé d'être désormais aphasique, et, au lieu de dialoguer avec lui, elle regarde la pelouse tropicale devant eux, l'herbe violemment verte et très belle, elle examine avec affection deux éléphants qui se sont approchés et qui leur font face, la pluie les hachure, rendant les volumes presque fumeux, car l'averse est très forte, et ils balancent leur trompe en haussant celle-ci par instants au-dessus de leur crâne et en secouant la tête, et voilà que, tout à coup, une particularité odieuse de cette scène se révèle, sur le visage des éléphants il y a d'atroces blessures, la pluie torrentielle les lave, je pense qu'on peut parler de visage quand on éprouve une vive sympathie pour ces bêtes, et c'est mon cas, et quand je dis je, ici, je pense autant à Julie Rorschach qu'à moi-même, la pluie lave à gros bouillons ce qui saigne, la peau a été entaillée en quatre volets carrés, du haut de la trompe jusqu'aux bosses hirsutes du crâne, les volets lourdement et partiellement se décollent quand les têtes bougent, sur une joue par exemple une moitié de joue s'entrouvre, puis le puissant morceau de peau se remet en place, puis la bête une nouvelle fois s'agite, son compagnon fait de même, les trompes se tordent vers le ciel et retombent, les oreilles battent, les blocs de cuir de nouveau s'écartent et se referment, les yeux expriment des prières ou des passions en un langage que nul ne comprend, le déluge lave le sang, décolore et évacue les ruisseaux de sang, telles sont les images qui ont visité Djimmy Iougriev à la seconde où il a commencé à entendre le bruit du sable sur les vitres, et qui soudain ici lui reviennent en mémoire, vilain cauchemar, mauvais jour où tout est à craindre, il finit de tousser et il se pétrifie devant le robinet qui ne distille aucune goutte, puis il urine dans la cuvette pleine de sable, et déjà il retourne dans la chambre que le ciel baigne de teintes martiennes, il promène son regard sur le lit où une femme est allongée sans dormir, son épouse, Irma Iougrieva, à cette femme il dit J'ai fait un rêve affreux, et elle l'interrompt d'un geste agacé, car elle ne veut pas que dès le matin il lui impose ses visions, et il se tait, et dans la chambre voisine les enfants chahutent, les journées de vent les excitent, ils savent qu'ils ne sortiront nulle part aujourd'hui, l'odeur de planète désolée les rend bizarres, bientôt ils vont s'amuser à parler en des langues que nul ne connaît, ou ils extrairont de leurs étuis des trompes en cuivre ou des jeux électroniques idiots, ils ne liront rien des livres que les enfants des nouveaux riches devraient lire, et Djimmy Iougriev pressent que dans peu de temps il entrera dans la chambre des enfants et qu'il se fâchera, qu'il leur reprochera leur absence d'intérêt pour tout, leur inculture vicieuse, et cette pusillanimité paresseuse dont il ne peut supporter l'étalage, et voilà que les enfants viennent d'insérer un rouleau vocal entre les pinces d'un phonogramme, et derrière le mur à présent monte la voix d'un chanteur à la mode qui imite une imprécation rythmée de Varvalia Lodenko, la vieille immortelle, en censurant, bien entendu, tout contenu égalitariste, et Djimmy Iougriev se rappelle Julie Rorschach et leur vie commune, et il regrette que seules la voix et la musique de Varvalia Lodenko aient fait irruption dans l'appartement, il le déplore, au fond il a depuis toujours souhaité que les hordes rouge martien de Varvalia Lodenko mitraillent les ruines et balaient les nouveaux riches jusqu'à ce que plus rien ni personne ne bouge, et jusqu'à ce que lui, Djimmy Iougriev, puisse en paix reposer avec la femme qu'il aime, Julie Rorschach, et se fondre avec elle dans les éléphants et dans l'amour, en attendant que la schizophrénie cicatrise. Oui, mauvais début de journée, incontestablement.

32. ARMANDA ICHKOUAT

Les liens qui l'attachaient au poteau d'exécution avaient pourri et Will Scheidmann en éprouvait la résistance à certains moments, disons quand il venait de terminer la diction d'un narrat étrange, ou quand la température de l'air, la nuit, basculait en dessous de zéro, et, un jour, des nœuds finirent par mollir et, derrière ses reins, subitement, tout craqua.

Les vieilles l'avaient en ligne de mire, comme toujours depuis deux ans, depuis la fusillade ratée. Elles étaient allongées près des yourtes et elles le visaient. Laetitia Scheidmann plissa la fente ridée de ses yeux et, tout en épaulant sa carabine, elle cria que les attaches s'étaient rompues autour de Scheidmann. Tout le monde s'agita. Solange Bud releva son arme de façon hostile, mais, pas plus qu'avant, les vieilles n'ouvraient le feu.

Scheidmann dégagea ses mains et il resta statique à côté du poteau, songeur sous les sifflements du vent. Il semblait ignorer l'art de s'enfuir. Il laissait le vent écumer sur lui, il contemplait le ciel agité et les oiseaux d'automne, les alouettes des steppes qui pirouettaient dans les tourbillons. Quand je parle des alouettes je pense surtout à l'une d'elles, à Armanda Ichkouat.

Scheidmann ne profitait pas de la situation. Son organisme avait subi des métamorphoses qui auraient compliqué une course éperdue. Sous l'influence des brumes radioactives de l'hiver, ses longues squames de peau malade étaient devenues d'imposants goémons. Vu de loin, Scheidmann s'apparentait à une meule d'algues sur quoi on eût fait sécher une tête. Il continuait à marmonner des narrats étranges, prouvant ainsi qu'il se maintenait dans un état intermédiaire entre la vie et la mort, toutefois c'était sans véritable substance animale ni véritables besoins physiologiques. Ce Scheidmann n'est plus fusillable, disait-on souvent chez les aïeules. Il s'est transformé en une espèce d'accordéon à narrats, à quoi bon vouloir encore le déchiqueter avec du plomb ?

Il n'avait plus rien de commun avec ce petit-fils qu'elles avaient condamné à mort, et il leur murmurait des récits qui les charmaient. À quoi bon s'acharner sur ce qui nous charme ? disait-on, sans conclure.

Les vieilles étaient donc couchées dans les rhubarbes naines et les maigres touffes de karagane et dans le crottin de chameau et les déjections de yack, et, sans lâcher leur carabine, elles fumaient en silence, comme toujours quand elles méditaient une décision importante.

Armanda Ichkouat vit Lilly Young se lever, et je dis Armanda Ichkouat pour ne pas utiliser la première personne en permanence, et je l'entendis suggérer qu'on la délègue pour informer Scheidmann qu'il pouvait désormais aller et venir. J'irai, moi, disait-elle, et je lui exposerai nos conditions, par exemple continuer à nous alimenter en narrats étranges, tout en restant interdit de séjour dans les régions encore habitées par d'autres que nous, afin de ne plus être tenté de fricoter avec les capitalistes et les ennemis du peuple.

Yaliane Heifetz dit : Ça y est, la Lilly est lancée, et quelqu'un ensuite gloussa, disant : On ne l'arrêtera plus, maintenant, et une troisième vieille, Laetitia Scheidmann, je crois, sortit la pipe de sa bouche et acquiesça : Quand elle est lancée comme ça, oui, plus question de lui clouer le bec.

Armanda Ichkouat alla survoler Scheidmann. Celui-ci déjà racontait les événements à sa manière. Je me mis à répéter avec lui son murmure, avec un décalage d'une ou deux syllabes. Sa première personne ne renvoyait pas à moi, mais plutôt à lui-même.

– Leur conciliabule dure, disait-il, ne cesse de durer. Leurs masques ratatinés se ressemblent au point que seuls les couvre-chefs aident à établir entre elles des différences, par exemple une toque de feutre sans décoration pour Magda Tetschke, ou un serre-tête avec des rémiges de perdrix pour Solange Bud, ou des broderies tantôt vert émeraude, tantôt bleu outremer, qui sur les pommettes de telle ou telle remplacent la peau défaillante. Le temps se gâte, elles se dirigent vers les yourtes, elles me laissent seul sous l'averse, mais presque aussitôt l'averse se termine et elles s'occupent du troupeau, puis elles se recouchent dans l'herbe mouillée, puis l'eau gèle, c'est la nuit, déjà une froide nuit de fin octobre, puis au matin le soleil péniblement dissout la carapace des flaques, et, de nouveau, c'est le crépuscule et la nuit glaciale. La lune est à son premier quart. Puis tout s'accélère encore et, tandis que les vieilles discutent pour décider si oui ou non elles m'achèveront avant le printemps, une succession de jours et de nuits a lieu, et, finalement, la lune est déjà à son dernier quart. Puis le soleil apparaît avec brièveté, l'ouest se décolore, la nuit vient. Le lendemain passe, les semaines passent. Malgré les demandes, pas plus d'un narrat par vingt-quatre heures. Décembre, janvier. Des orages de neige, la steppe aveuglante le jour, affreusement blanche et brillante sous les astres pendant la nuit. Les vieilles partent se réchauffer par roulement. De temps en temps un bonnet rouge ou des plumes s'exercent au tir et logent une balle dans le poteau, près de ma tête. L'odeur du thé au lait arrive jusqu'à moi, l'odeur des flammes alimentées avec des crottes, l'odeur des manteaux de feutre. Pas plus d'un narrat étrange par jour, là-dessus je reste ferme, mais, si on me demande mon avis, je suis content d'être avec mes grands-mères. Je suis content de ne plus être avec les capitalistes et d'être de nouveau avec mes grands-mères.

33. GINA LONGFELLOW

On entendit les pas de Lilly Young, mandatée pour signifier à Scheidmann sa remise de peine. On entendit ses petites bottes de feutre qui foulaient la boudargane blanche et la boudargane violette, dont les brins déjà indifféremment étaient grisâtres et partaient en poussière au moindre contact. La tricentenaire marchait sur une surface qui, même pour les bêtes, était restée tabou pendant deux ans après que les aïeules eurent abreuvé Scheidmann à l'alcool de yoghourt et qu'elles se furent retirées pour le fusiller. De ce territoire circulaire et guère pittoresque, avec un infime vallon herbu et une dépression infime et des cailloux si familiers au regard de Scheidmann que celui-ci les avait affublés de sobriquets, Scheidmann occupait le centre, et, maintenant que le condamné avait perdu ses liens, ce centre s'était dédoublé : il y avait le poteau, noir et souillé, et, deux mètres plus loin, Scheidmann, noir et souillé, lui aussi, et bizarre. Lilly Young s'approcha et elle constitua un troisième pôle, affublé d'un bonnet rouge.

Elle se mit à discourir. C'était sans fin, comme toujours quand la Lilly Young prenait la parole. Elle n'avait pas encore terminé son exposé que déjà le froid de la nuit soufflait et que s'allumaient, au firmament, les premières étoiles.

– Et tu pourras ensuite monter une yourte dans le voisinage, disait-elle, ou loger sous le feutre de Varvalia Lodenko, car elle est partie, notre Varvalia, elle sillonne les derniers bastions civilisés afin d'essayer de réparer tes bêtises, elle ne reviendra pas de sitôt. Et, quand on nomadisera de nouveau, tu démonteras ta tente et tu nous suivras, il faut que nous puissions garder un œil sur toi. Et si tu veux quelques bestiaux…

Scheidmann allait devant elle de côté et d'autre, cherchant pesamment à l'éviter. Il n'aimait pas l'idée d'être gracié : d'abord parce qu'il savait qu'il méritait la mort, et ensuite parce que jusqu'à la fin des temps il devrait remercier ses grands-mères de ne pas lui avoir troué la peau. Il n'aimait pas non plus l'absence de concision de Lilly Young, et, de surcroît, l'haleine de la vieille le dérangeait, qui empestait le vomi de rhubarbe, le fromage de chamelle, l'humus, la salive mille fois remâchée, le thé au lait, l'immortalité, l'argot des camps, les feux nourris avec de la crotte de yack, le tuyau goudronneux des pipes, la soupe d'herbes, la fumée.

La nuit s'épaissit, la lune apparut puis se coucha, il y eut encore trois demi-heures d'obscurité puis l'aube suinta sur l'orient, puis de nouveau ce fut la fin du jour. Scheidmann baissait la tête comme un animal en quête de lichen, il regardait par en dessous, secouait sa chevelure en tresses grasses et ses bras pareils à des liasses de lanières vésiculeuses, et les secousses se communiquaient aux longues bandes de peau et de chair squameuse qui partaient de son cou pour lui cacher entièrement le corps et les jambes. Il se balançait. Plusieurs nuits filèrent. La lune se dégrada jusqu'à n'être plus qu'un fin croissant, puis des nuages de neige hurlèrent au ras de la steppe, sans chute de neige, et des journées très courtes survinrent, en alternance avec des nuits où la terre se contractait de froid et frissonnait. Dans le crépuscule, les touffes de boudargane violette s'émiettèrent. Brûlée par le givre, la boudargane blanche n'était plus qu'un paillasson noir. Le soleil ensuite refusa de réchauffer le paysage. Les étoiles s'acidifiaient, pâlissaient, renaissaient sur le velours ténébreux du monde, recroquevillées sur des scintillements méchants. Les images diurnes et nocturnes se succédaient comme des diapositives dans un passe-vues déréglé.

Lilly Young pendant ce temps dévidait les attendus du décret que les vieilles avaient mis au point, et Scheidmann avançait ou reculait un peu, ou il se déplaçait de deux pas sur la gauche ou sur la droite, avec des ombres qui le rendaient imprécis et avec des postures qui le faisaient ressembler tantôt à un boxeur, tantôt à un mouton assommé par les fièvres. Parfois Lilly Young s'asseyait en tailleur pour prendre un peu de repos ou pour fumer, ou pour grignoter un morceau de fromage dur qu'elle avait retiré d'une de ses poches, ou pour démonter et graisser sa carabine.

Scheidmann n'avait nulle part où aller et, malgré l'ennui où le plongeait le monologue de Lilly Young, il ne s'éloignait pas. À cela il faut ajouter qu'en le quittant, l'angoisse de la mort avait laissé en lui un creux épuisant. Il avait peine à reprendre son souffle et il s'abstenait de débiter des histoires trop longues. Deux cents mètres plus loin, à la limite du cercle tabou, les autres grands-mères de Scheidmann paraissaient, elles aussi, accablées par les bavardages de Lilly Young. De temps en temps, l'une d'elles sentait quelque chose s'effacer à l'intérieur de son intelligence, et elle priait son petit-fils de ne pas tenir compte de Lilly Young et de réciter un narrat étrange. Il avait été établi que les narrats étranges qui s'échappaient de la bouche de Scheidmann colmataient les brèches dans les mémoires ; même si, plutôt que des souvenirs concrets, ils remuaient des rêves ou des cauchemars qu'elles avaient faits, cela aidait les vieilles à fixer leurs visions affadies, l'expérience des hiers qui chantent. Les narrats intervenaient sous leur conscience de façon musicale, par analogie, par polychronie, par magie. Ainsi ils agissaient.

Ce jour-là, justement, Magda Tetschke s'aperçut qu'un chapitre de son aventureuse jeunesse menaçait de se dissoudre dans le rien : elle avait été amoureuse de Yaldam Reweg, un homme marié à une de ses amies, un écrivain réaliste, elle l'avait séduit, elle avait fini par l'épouser, il avait dû partir, elle l'avait suivi en déportation ; elle se rappelait soudain cette amie dont elle n'avait plus eu de nouvelles depuis deux cent vingt ans, Gina Longfellow, qui travaillait avec elle dans les bureaux avant la victoire de la révolution mondiale ; elle était restée à son poste tandis qu'elle, Magda Tetschke, commençait à voyager vers les terres vierges, où Reweg était parti en éclaireur.

– Hé, Scheidmann ! cria-t-elle. Est-ce que le nom de Gina Longfellow te dit quelque chose ?

Comme Scheidmann ne manifestait pas l'intention de se lancer dans un narrat, elle se mit à ramper vers lui. Sa carabine bougeait sous la lune, parmi les herbes mortes, sur le sol croustillant de givre. Scheidmann la regardait progresser. Il ne savait que faire ni que dire. Pour lui, Longfellow était le nom d'une petite pierre, voisine d'un caillou qu'il avait baptisé Reweg. La tête de Magda Tetschke oscillait hors de son manteau brodé comme une tête de tortue hors de sa carapace.

– Bien sûr, poursuivait Lilly Young, on ignore quand Varvalia Lodenko reviendra. Mais, dans l'intervalle, tu peux t'installer chez elle. Installe-toi sous son toit et rallume son poêle. Il y a des briques de bouse sous la tente, en entrant, à droite.

Magda Tetschke était tout près, maintenant. Elle se haussa sur la pointe des coudes, elle se mit à supplier Scheidmann sur un ton impérieux. Qu'il lui chuchote un narrat étrange, ayant pour ange principal Gina Longfellow ou Yaldam Reweg ou elle-même, et qu'il s'exécute en vitesse. Comme il renâclait, elle s'accrocha à lui et le secoua. Une des lanières de peau qui entouraient Scheidmann se détacha et resta dans la main de la vieillarde.

– Voilà, tu es contente, gémit Scheidmann.

Bien qu'il n'eût ressenti aucune douleur, cet arrachage le dégoûtait en profondeur.

– Oh, que oui, dit la vieille.

Elle avait reculé de quelques mètres, et déjà elle roulait sur les cailloux, ânonnant des phrases, comblée, portant à ses yeux presque aveugles le demi-mètre de cuir dont elle s'était emparée et s'efforçant d'y lire un texte, imitant dans la nuit les gestes de la lecture.

Elle feignait de déchiffrer goulûment des images inscrites sur la peau étrange de Scheidmann, elle faisait mine d'avoir retrouvé ses amis, chers, et la mémoire, disparus. Et elle était contente.

34. MALEEKA BAYARLAG

Le bateau était arrivé à quai depuis une semaine, mais l'autorisation de débarquer ne venait pas. Durant plusieurs jours, les passagers indignés tempêtèrent. Ils se regroupaient le matin, dès sept heures, et ils inspectaient la mer immobile et les installations portuaires, où aucune forme vivante ne se profilait. Ils assiégeaient ensuite la cabine du commandant, frappant sur la porte épaisse dont le cadre était blindé avec des bandes de cuivre et des clous de cuivre, ou encore ils se présentaient avec leurs bagages devant l'échelle de coupée et ils essayaient en vain de la déplier pour la mettre en place sur le flanc du bâtiment. Le commandant refusait de communiquer avec eux sinon par des billets qu'il punaisait entre les bulletins météorologiques et le menu, à l'entrée de la coursive qui menait au réfectoire. L'équipage fournissait des explications fantaisistes, et les officiers répondaient aux questions de façon dilatoire.

Ces passagers mécontents, dont j'ignore les patronymes car, pour tout dire, je ne frayais pas avec eux, s'égaillaient dans les entreponts aux alentours de neuf heures. On les voyait ensuite promener leur maussaderie dans divers couloirs et salles réservées au public. Des gouttes de sueur scintillaient sur leurs visages de plus en plus anxieux au fil des jours. Ils étaient six et, après une rixe qui les opposa aux marins devant l'échelle de coupée, leur nombre descendit à quatre.

La luminosité dans le navire avait baissé. Une buée chaude envahissait la rade aux premières heures du jour, et sur le flanc du bâtiment s'élevait une construction monumentale, un magasin à plusieurs étages qui nous baignait en permanence de son ombre. Les passagers commencèrent à se plaindre du crépuscule où on les obligeait à vivre, prétendant que la grisaille provoquait chez eux des troubles psychiques. Ils ne changeaient plus de vêtements et se négligeaient. Sur leur passage, ceux qui avaient l'odorat délicat commencèrent à froncer les narines. Les gringos ne se lavent plus, m'expliqua un des rares marins qui m'adressaient la parole. C'était un homme originaire de Nazca, région du désert côtier péruvien où se sont déroulés maints rêves de Lydia Mavrani, à une époque où je dormais encore avec Lydia Mavrani, il y a très longtemps, bien avant que j'aie totalement perdu le contact avec elle. Les gringos puent, dit-il encore : quand leur peau n'est pas savonnée, la puanteur monte.

Les coupures d'électricité se multiplièrent et, pour finir, l'éclairage fut réglementé. Le soir, les hommes d'équipage distribuaient des lanternes. Les réservoirs contenaient une quantité d'huile mesquine. Les passagers pestaient contre la fumée qui s'échappait des lampes et contre la flamme trop haute, qui trop rapidement épuisait leur ration nocturne de combustible. Ils campaient tous maintenant dans le bar où ils pouvaient mettre en commun leurs jérémiades et leurs odeurs animales tout en brandissant un verre, avec l'air revêche qu'ont les acteurs secondaires dans un mauvais film. Les étagères du bar étant vides, ce qu'ils lapaient n'avait aucun degré d'alcool. On ne trouvait à bord aucune boisson autre que du thé tiède.

La rixe eut lieu un vendredi, et, le samedi, en tant que sous-homme possédant quelques notions de chamanisme, je fus chargé, avec le matelot de Nazca et un représentant des passagers, d'acheminer à terre la dépouille des hommes qui avaient péri. Le passager disait s'appeler Sheerokee Bayarlag. Il avait été tiré au sort. De lui je soulignerai une silhouette rabougrie, une face plate et inexpressive sur quoi en début de journée peu de sueur ruisselait, et des yeux que les paupières réduisaient à une fente très noire. Nous nous demandions tous s'il allait profiter de l'occasion et, une fois sur le quai, prendre la poudre d'escampette. Le capitaine nous avait donné pour instructions de ne pas le poursuivre et de le laisser aller, dans ce cas, à son destin.

Avec les corps, nous nous enfonçâmes dans les parties basses du navire. Dans les cales régnait une température de four. Le matelot qui haïssait les gringos balançait un fanal et examinait la muraille métallique, à la recherche d'un repère chiffré. Nous avions sur notre droite une série de trappes rectangulaires, hermétiquement closes.

Quand le halo lumineux se fut posé sur l'indication M891, le matelot parut soulagé.

– C'est celle-là qu'il faut ouvrir, dit-il.

Nous ferraillâmes plusieurs minutes contre les écrous qui bloquaient le volet. Bayarlag ne nous aidait pas. L'ouverture se situait juste au-dessus de la ligne de flottaison et, une fois que nous eûmes ôté la plaque, une lueur glauque nous entoura. L'eau, devant nous, était mazoutée et noire. Des miettes de polystyrène y flottaient. Le trou était assez large pour ce que nous avions à faire. Il fallait enjamber l'eau avec les cadavres sur le dos et s'accrocher à une échelle rouillée qui, trois mètres plus haut, débouchait sur le quai. L'eau remuait si peu qu'aucun clapotis ne sonnait dans les semi-ténèbres.

Nous étions munis de cordes. Je ne vais pas décrire ici les opérations, disons simplement que les cordes nous furent utiles pour transporter les corps sans les laisser choir dans le bassin. Sheerokee Bayarlag fut le dernier à prendre pied sur le béton à côté de nous et de ses compagnons d'infortune. Il se tint quinze secondes devant eux, nerveux et incapable de se recueillir. Maintenant il transpirait à grosses gouttes. Nous avions encore à haler notre fardeau jusqu'à un endroit que le capitaine nous avait désigné : à cinquante mètres, derrière une cuve. Une fois étendus là, les morts resteraient pour toujours dissimulés aux regards qui viendraient du navire.

Sheerokee Bayarlag ne disait rien. Nous l'observions par en dessous, tentant d'évaluer le moment qu'il choisirait pour démarrer brusquement et zigzaguer sur l'esplanade déserte, entre les containers rouillés et les grues, jusqu'au labyrinthe des entrepôts où il réussirait sans peine à se cacher.

Comme il ne s'élançait pas, nous traînâmes les passagers vers l'arrière de la cuve. Le quai était torride, silencieux. Les passagers écartaient les bras. Les têtes dodelinaient sur les aspérités du sol. Sous leurs aisselles s'amassa une petite quantité de granules de ciment, des billes de poussière.

De l'autre côté de la cuve, nous trouvâmes un tas de chiffons et deux matelas, habités par une demi-douzaine de rats et une vieille mendiante si décatie qu'elle n'avait plus de visage. Elle nous vit allonger les cadavres à un mètre d'elle et ne récrimina pas, mais ensuite elle nous réclama tous les dollars que nous avions dans nos poches. Seul Sheerokee Bayarlag en possédait, sans doute parce qu'il comptait s'en servir durant sa fuite et sa réinstallation dans une nouvelle vie, sur une nouvelle terre. Il avait deux dollars entiers et une moitié. Après avoir tergiversé, il les versa dans la main tendue et se pencha. Il grelottait. Il avait soudain devant la vieille un air de connivence effrayée, comme s'il l'avait déjà rencontrée quelque part.

– Si tu es bien Maleeka Bayarlag, dis-moi la bonne aventure, demanda-t-il.

La vieille rattrapa maladroitement les pièces. L'une d'elles roula vers le bord du quai et aussitôt tomba dans l'eau.

– Ah, ce n'est pas mon jour, dit la vieille.

– Dis-moi quelles sont mes chances de m'en sortir, insista Sheerokee Bayarlag.

La vieille leva sur lui ses yeux sans physionomie. Les dents de Sheerokee Bayarlag s'entrechoquaient. La vieille hésitait à parler en notre présence. Je maugréai un chant funèbre au-dessus des corps, puis nous nous en allâmes. La vieille déjà chuchotait un oracle pour Sheerokee Bayarlag qui haletait devant elle et frissonnait.

Alors que nous nous préparions à redescendre l'échelle, Sheerokee Bayarlag s'écarta de la cuve et nous héla. La vieille avait dû lui dire que ce n'était pas son jour, à lui non plus. Il poussa une deuxième exclamation informe. On le devinait terrorisé à l'idée que nous allions le laisser seul hors du navire. Il cria encore et, comme nous ne répondions pas, il se mit à trottiner pour nous rejoindre.

35. RACHEL CARISSIMI

Dans le quartier situé le plus à l'ouest après la rue des Praires, il y a des caves où des hommes s'enferment avec des chiens et les mangent. Dans le quartier qui le jouxte au nord-est, la pègre contrôle une maison où on peut apprendre à tuer des gens avec un marteau ou une flèche empoisonnée. Plus au nord-ouest encore, des rues désertes se croisent sur des kilomètres carrés, sans que jamais âme qui vive n'y erre. Dans le quartier suivant, quand on oblique vers le sud-est, on rencontre huit réfugiés anglais et un Cheyenne déplacé, ainsi que deux Oudmourtes. Quand on oblique vers le sud, on tombe sur un endroit où autrefois une coopérative d'ouvriers essayait de vendre aux touristes du poisson séché et des os sculptés, sur quoi on pouvait admirer des portraits de communistes et des slogans. De cette activité il ne reste rien, sinon la table pliante en fer où les souvenirs étaient étalés, et un touriste qui a cessé là de rouler sa bosse et qui ne bouge plus depuis deux cent onze ans, avec au cou une statuette de Dzerjinski en faux ivoire. Plus au sud encore s'étend un lac dont l'eau est chaude été comme hiver et malsaine. Certains en consomment, tout en regrettant qu'elle ne refroidisse pas, même quand on laisse reposer des heures sous la terre le récipient qui la contient. Dans la bouche elle pétille de façon détestable. Sur la berge orientale du lac on doit couper à travers une zone en débris, sans végétation, avant d'entrer dans un quartier où vit un chamane qui est connu pour préparer des onguents avec lesquels il réveille les écureuils morts et fait renaître les loutres. Une fois qu'il les a ressuscités, il les mange. Sur la berge méridionale, il y a ce qui subsiste d'une usine dont le cœur atomique est en feu depuis trois cent soixante-deux ans. Si on poursuit en direction du sud-est, on foule une surface que couvraient, dans le passé, une grande gare de voyageurs et plusieurs voies de chemin de fer. Dans un sous-sol qui a été aménagé depuis, on voit, en effet, onze ou douze mètres de rails qui vont de mur en mur. C'est une salle voûtée où s'accumulent des gaz qui altèrent le comportement. Quand des vagabonds y échouent pour la nuit, il n'est pas rare que l'idée leur vienne de s'accoupler dès la fin du jour, sans avoir au préalable fait connaissance. Ensuite, ils se mangent les uns les autres. Plus loin, il y a des citernes où pourrit un liquide que quelques vieilles utilisent comme shampooing. Une fois ce quartier derrière soi, on est en vue de la rue des Ciels-Chenus. Si on l'emprunte sur toute sa longueur, on approche d'un quartier où vivent les fils Schtern, qui engraissent leur mère pour la manger. Au-delà des Ciels-Chenus, après avoir franchi le pont que souvent on nomme le Buffalo, il y a un élevage de tigres où on ne peut pénétrer qu'en rêve. Les tigres sont blancs, d'une beauté paralysante. Ils sont reclus sous des vitres posées à même le sol. Ils vont et viennent en levant la tête, tandis qu'une queue nerveuse leur bat les flancs. Ils attendent que le verre casse sous le poids d'un promeneur. Visiter l'élevage dans de telles conditions en rebute plus d'un, et peu de visiteurs, tout compte fait, s'y aventurent. Plus en avant vers le nord, on aperçoit un bouquet d'arbres. Il y a là deux saules, un sophora, trois trembles, un orme. Au bout d'un demi-kilomètre de sable commence un quartier où, pour deux dollars par an, des nouveaux riches emploient une femme qui balaie à leur place leur chambre et nettoie à leur place leurs chemises. Cette femme, Rachel Carissimi, a déjà tué plusieurs capitalistes, mais elle ne les a pas mangés. Non loin débute une avenue pleine d'ornières, bordée par une série d'immeubles inhabités. Dans le troisième de ces bâtiments, du côté impair, réside toutefois un homme qui a mémorisé tous les discours de Varvalia Lodenko et qui peut les réciter à la demande. À l'extrémité nord de l'avenue, on va vers de nouvelles zones entièrement dépeuplées. Quand je dis on, c'est plutôt à des Untermenschen que je pense, par exemple à Oulan Raff, c'est-à-dire à moi. Sur des milliers d'hectares le noirâtre bleuté domine, le mâchefer, le vent, et, juste après, au sud-ouest, commence une étendue de toundra grise. Si on prend la direction est-sud-est pendant environ trois mille sept cents kilomètres, on aboutit au lieu-dit le Blé Moucheté, où, à une époque, des vétérinaires avaient parqué des vieilles femmes qui ne mouraient pas, qui ne se modifiaient pas et qu'on ne pouvait pas manger. La maison de retraite était loin de tout, même des camps. Il est raconté que ces immortelles ont commis une grave erreur qu'elles n'ont eu de cesse de vouloir réparer par la suite. Il est dit qu'elles ont fait surgir du néant un homme de chiffons qui a rétabli sur terre la circulation des dollars et des mafias. Si, au lieu de choisir cette lointaine destination, on décide de revenir vers le Buffalo, on entre d'abord dans une cour où lugubrement, jour et nuit, grince une roue éolienne qui n'est reliée à rien. C'est là que vit Oulan Raff.

36. ADZMUND MOÏSCHEL

Inlassablement, nous oubliions nos échecs et nous repartions vers ce qui, sur les cartes, figurait maintenant en blanc ; nous étions désireux d'apprendre si toujours au loin existaient des hommes et des femmes, des Yorubas, des Qechuas, des Orotches, et si quelque chose surnageait au-dessus des fosses de l'Oklahoma, ou si un service pouvait être rendu aux populations qui s'étaient réfugiées sur le Mékong ou sur la rivière des Perles, ou sur l'Oussouri.

Par un beau matin de brise solaire, notre goélette s'élança. Les vaguelettes chantèrent contre la coque, la misaine ronfla, puis il y eut un bruit de gifles et des jurons. Des mouches pullulaient à bord, importunant les marins en manœuvre. La présence des insectes s'expliquait par le fait que nous avions embarqué une bufflonne, dont nous souhaitions qu'elle nous procurât du lait puis plus tard de la viande. Dans la cale s'entassait de tout à suffisance, comme il est d'usage avant une circumnavigation. Outre les biscuits, nous avions engrangé d'immenses volumes d'eau potable, ainsi que des pastilles d'hydroclonazone pour le cas où des miasmes empoisonneraient nos réservoirs.

Nous cabotâmes jusqu'au soir sans déplorer la moindre perte en vie humaine et, encouragés par ce bilan de bon augure, nous renonçâmes à chercher un ancrage pour la nuit et décidâmes de cingler plus résolument encore vers le sud-ouest. Le second maître venait d'ordonner qu'on déployât une voile supplémentaire, quand le bâtiment toucha une mine et, s'étant promptement disloqué, sombra. Vers le fond immédiatement coulèrent les provisions, la vache et une douzaine d'hommes. Le destin voulut que le naufrage se déroulât à petite distance de la côte ; les survivants rejoignirent celle-ci à gué, heureux d'être saufs mais harcelés de nouveau par les mouches, qui avaient choisi de ne pas accompagner le bétail dans sa noyade.

Une fois sur la terre ferme, huit matelots exigèrent qu'on les désenrôlât ; ils rentrèrent chez eux à travers champs. Nous n'étions plus que neuf, ne sachant trop à quoi le lendemain ressemblerait, et impatients que la nuit nous portât conseil. Nous nous déshabillâmes, suspendîmes nos effets à des perches pour les faire sécher, et essayâmes de nous endormir. Cependant, jusqu'à l'aube, les insectes nous supplicièrent. Les rayons du soleil poignirent sans que quiconque eût fermé l'œil. Alors que, épuisés, nous renfilions nos uniformes, le restant de l'équipage se plaignit des conditions d'hygiène et de sécurité et, après une violente diatribe prononcée par un maître gréeur nommé Adzmund Moïschel, il se mutina. Le commandant fut matraqué, et sa raison, dès qu'il sortit de l'évanouissement, chavira. Presque tout le monde avait déserté ; nous n'étions plus que deux, lui compris. Sans lui retirer son titre, nous le destituâmes de sa charge qu'il ne pouvait plus assumer, car il vaticinait sans relâche. Par nous ici j'entends surtout moi qui vous parle, ainsi que les mouches, qui effrontément participèrent à ce vote.

Vers midi, nous rassemblâmes nos forces et prîmes la direction sud-ouest, qui avait été fatale à notre embarcation. Un talus longeait la côte. Nous le gravîmes et nous y découvrîmes des traverses et des rails. Nous nous engageâmes dessus. La voie avait été construite à deux mètres au-dessus du niveau de la mer, elle suivait le rivage qui comportait un grand nombre de petites échancrures, et, souvent, elle quittait la terre, supportée alors seulement par des piliers de béton qui s'enfonçaient dans la vase. Ces passages au-dessus du vide n'étaient pas conçus pour la promenade ; ils nous obligeaient à sautiller d'une certaine manière qui épuisait.

Sur notre gauche, la lande déserte grésillait sous le soleil. Des chiens s'y baguenaudaient. Ils trottèrent vers nous et, pendant des heures, ils nous reniflèrent de loin, avec hostilité, et aboyèrent contre nous. Sur la droite, les eaux peu profondes scintillaient. On y distinguait parfois des barques de roseaux échouées, pourries.

Le capitaine remuait ses mondes intérieurs et il haussait le ton pour me faire part de ses convictions les plus absurdes. Vois-tu, me disait-il, ce Moïschel, je l'aimais comme autrefois on aimait son fils, au temps où on pouvait encore avoir des fils. Ou encore, il aboyait à l'adresse des chiens ou, quand les mouches l'avaient piqué, il avançait les lèvres de manière hideuse et bourdonnait. Les charmes de sa conversation à cela se limitaient.

Vers quatre heures de l'après-midi, nous fûmes en vue d'une station de chemin de fer, comprenant une cabane et une voie de garage où stationnaient une locomotive à vapeur, un tender et une plate-forme bâchée qui pouvait accueillir des voyageurs.

Je me mis en quête de l'homme qui administrait la station. Il somnolait dans la cabane, bercé par les crachotis d'un poste de radio. Aucune émission n'était en cours. Il écouta mes explications sans que sa physionomie indiquât en quel sens il allait statuer sur ma demande d'assistance, puis, alors que déjà le crépuscule débutait, il me confia deux gamelles et des sachets de soupe lyophilisée, et nous autorisa à séjourner n'importe où dans les parages, en attendant la prochaine pleine lune. À cette date, conformément à l'horaire d'hiver, reprendrait la circulation des trains sur la ligne, selon lui.

Nous nous installâmes sous la bâche. Comme nous étions dans un endroit assez passant, certains indigènes, qui appréciaient les propos décousus, mais cocasses, de notre commandant, jetaient vers nous une obole sous forme de petites quantités de vivres, suffisantes pour que nous n'eussions pas besoin d'aller explorer les arrières de restaurants ou les bennes de détritus. Ainsi fila une semaine, puis la lune fut grosse.

Le commandant avait repris du poil de la bête et,

quand les cheminots arrivèrent, il exprima le souhait de diriger lui-même la machine ; on lui représenta qu'il n'en avait pas la capacité et, comme il insistait, le conducteur de la locomotive l'assomma.

Il se réveilla plus tard. Le convoi déjà roulait. Nous n'allions pas à vive allure, et notre direction était nord-est. Comme souvent, nous revenions incoerciblement à notre point de départ. Le commandant se pencha vers la mer, qui maintenant était à gauche. Le vent jouait dans ses cheveux, il arborait un triomphal sourire. La locomotive sifflait toutes les sept secondes ; la lune immense, quoique encore pâle, déversait sur le paysage des lueurs magiques. Sur notre droite, des chiens couraient en horde et aboyaient. Cet Adzmund Moïschel, mon fils spirituel, cria le commandant, comme il a su tenir bon en plein malheur !… Ce courage qu'il a eu !… Cette intuition !… Inverser la boussole !… Nous précéder !…

J'éprouvais à mon tour un bonheur intense. L'aventure reprenait enfin. Sud-ouest ou nord-est, quelle importance ? Je me mis à brailler des instructions au timonier pour que celui-ci conservât son cap. La brise de terre hurlait à nos oreilles. Cet Adzmund Moïschel !… nous extasions-nous de concert. Quel courage !… Quelle intuition !…

37. WITOLD YANSCHOG

Cette année-là, le solstice d'été coïncida de nouveau avec la pleine lune. Tu avais émis des exigences : nuit la plus courte de l'année, pleine lune, un vendredi, et, pour réduire encore les possibilités, tu avais ajouté : qu'il n'y ait pas eu d'orage magnétique ni de pluie depuis un mois. La première fois, quarante-huit ans auparavant, toutes ces conditions avaient été réunies, mais l'homme n'était pas venu.

Tu avais attendu devant la porte, assise au faîte d'une étroite dune de sable rouge qui barrait la rue, tandis qu'Alcina Baïadji allait et venait au milieu de ses instruments inutiles, alignés sur des parpaings : le tambour, les guirlandes végétales, la bouteille de parfum, la bouteille de lubrifiant, la bouteille d'alcool, et une grande couronne bariolée d'où partaient en cascade des lanières d'étoffe.

La lune tournait lentement au-dessus de vous. La rue était silencieuse. Derrière le mur de l'immeuble, on entendait de temps en temps glousser les poules, les pintades, car Alcina Baïadji s'occupait aussi d'élever des volailles.

Tu examinais tes pieds à moitié enfouis dans le sable tiède, tu ne disais rien, tu regardais tes ongles abîmés, la peau cartonneuse de tes doigts, les veines dessinant des arbres sur tes bras, tu scrutais les maisons sans habitants qui bordaient la rue, les fenêtres noires des appartements noirs, les étoiles, la lune très brillante. Tu lisais et relisais la pancarte sur quoi Alcina Baïadji avait tenté d'inscrire en caractères ouïgours *ALCINA BAÏADJI, PROCRÉATION CHAMANIQUEMENT ASSISTÉE*, et où elle avait tracé *ALCINA BAÏADJI, COPULATION CHAMANIQUEMENT ASSISTÉE.* Ton regard glissait, tu ne songeais même pas à lui faire remarquer que son enseigne comportait une faute, qu'elle avait pris un vocable pour un autre. On touchait déjà à une époque de l'histoire humaine où non seulement l'espèce s'éteignait, mais où même la signification des mots était en passe de disparaître. Tu te sentais détendue, un peu curieuse de ce qui pourrait se produire. Avec Alcina Baïadji, le vendredi précédent, vous aviez fait une répétition, tu connaissais le détail des mouvements qu'elle te demanderait d'accomplir. Alcina Baïadji resterait dans la pièce, de toute façon, en permanence. À aucun moment il n'était prévu de t'abandonner seule avec l'homme.

Tu avais dit : Tu es sûre qu'il viendra ? Et Alcina Baïadji avait confirmé que oui, qu'elle en était sûre, que l'homme viendrait, qu'il s'appelait Witold Yanschog, qu'il ressemblait un peu à Enzo Mardirossian, que la ressemblance était, naturellement, très relative, mais qu'il y avait tout de même quelque chose, que sa silhouette évoquait celle d'Enzo Mardirossian quand Enzo était sorti des camps. Et tu avais demandé : Mais lui, cet homme, il a connu les camps, lui aussi ? Et Alcina Baïadji t'avait juré que oui, qu'il avait séjourné dix-neuf ans derrière les barbelés et que, conformément à ta demande, il s'abstiendrait de te parler, pour que tu puisses avec plus d'aisance imaginer la présence en toi d'Enzo Mardirossian et de nul autre.

La lune vaguait au-dessus de vos têtes. Les murs étaient éclairés comme en plein jour. Des geckos se déplaçaient près du tambour d'Alcina Baïadji.

Tu savais qu'il n'y avait pas plus d'une chance sur cinquante-huit milliards pour que la procréation, si le rapport sexuel allait jusque-là, donnât quelque chose. Le chiffre en valait un autre, il signifiait surtout que l'humanité était perdue. À l'idée que tu devrais, à un moment, ôter tes sous-vêtements et laisser l'homme fouiller en toi avec sa verge, la honte t'inondait, mais tu te réconfortais en pensant qu'Enzo Mardirossian t'aurait encouragée à accepter le principe de la séance, au nom de la survie de l'espèce. Au nom de cette infime possibilité de survie pathétique de l'espèce. Et tu es sûre, avais-tu repris, qu'il ne s'agit pas d'un partisan du capitalisme ? Écoute, Bella, je te jure que ce n'est pas un nouveau riche, avait répondu Alcina Baïadji. Il travaille dans une entreprise de déblayage. Il est déblayeur.

Il y avait des flaques de lune partout sur le sable. Un souffle caressait le sommet de la dune à côté de toi. L'air était encore brûlant. Tu essuyas un peu de sueur sur ton cou, autour de ta bouche, de tes yeux. Trois chiens surgirent de la grisaille et traversèrent l'extrémité ouest de la rue, sans grogner ni aboyer. Tu comprends, je n'aimerais pas être pénétrée par un admirateur du capitalisme, avais-tu dit. Alcina Baïadji t'avait tranquillisée, d'abord avec des paroles puis avec une gorgée d'alcool, puis le rythme de votre conversation avait fléchi. Bientôt, le sommeil commença à vous visiter par petites bouffées de deux ou trois secondes. Il devenait évident que l'homme ne viendrait pas.

Alcina Baïadji maintenant pensivement manipulait ses instruments magiques, elle les époussetait, elle les soulevait, elle les reposait. Avec le revers de la main, elle balaya des fourmis qui s'étaient approchées de la fiole de lubrifiant. Elle avait eu le tort de croire que la séance se déroulerait dès la première heure de nuit, et elle s'était apprêtée en conséquence : elle avait quitté ses vêtements afin que Witold Yanschog pût la regarder danser et rêvasser à elle et à son corps nu pendant qu'il serait couché sur toi.

Je dis toi, j'utilise la deuxième personne du singulier pour ne pas toujours dire Bella Mardirossian, et pour qu'on ne croie pas que je parle seulement de ma propre expérience et de moi-même.

Voilà comment s'était passée cette nuit de solstice.

38. NAÏSSO BALDAKCHAN

Les vieilles rampaient dans l'herbe craquante. Elles traçaient des cercles autour de la yourte.

L'une d'elles eut une quinte de toux, sans doute Solange Bud. Ses bronches s'effilochaient, ces dernières semaines, depuis qu'en rêve elle avait respiré du chlore. Elle était assise, avec des loups, devant une mare empoisonnée, qui fumait. Pour autant qu'on pouvait s'en rendre compte, car il faisait nuit, tout le paysage était vert, vert très sombre. L'étang, lui, avait une couleur noir jaunâtre. Absolument rien ne brillait dans le ciel. Il y avait une musique obsédante à l'arrière-plan, un quatuor qui jouait la *Troisième Chanson golde* de Naïsso Baldakchan. Les loups réfrénaient l'envie de hurler qui souvent les saisit en des circonstances pareilles, à cause de la musique ou à cause de l'ambiance. Certains avaient la tête entre les pattes antérieures et seuls leurs yeux bougeaient, interrogateurs. D'autres étaient roulés en boule. Ils étaient morts.

La *Troisième Chanson golde* n'avait été interprétée nulle part depuis qu'elle avait été écrite, deux cent quatre-vingt-un ans auparavant. Naïsso Baldakchan errait encore dans les songes de quelques individus isolés, souvent des femmes, des femmes très âgées, mais personne ne se donnait le travail de déchiffrer ses partitions, décrétées une fois pour toutes trop subtilement ou trop brutalement éloignées de ce qu'attend l'oreille humaine, à supposer que l'oreille humaine attende quelque chose. Pendant près de deux siècles, aucun cahier signé Naïsso Baldakchan n'avait été placé sur quelque pupitre que ce fût. Ensuite, les violonistes, altistes et violoncellistes avaient totalement disparu de la surface du globe. Pour entendre les *Sept Chansons goldes*, il fallait maintenant patienter jusqu'à ce qu'advînt un sommeil favorable. On pouvait alors constater que l'ostracisme dans lequel on avait tenu Baldakchan n'avait pas la moindre racine objective. Les harmonies de Baldakchan ne contenaient aucune brutalité, ses mélodies n'avaient rien de vilainement intellectuel. Elles étaient terriblement émouvantes. Il est vrai que désormais les auditeurs qui jugeaient Baldakchan correspondaient mieux au public parfait tel qu'il l'avait toujours imaginé quand il composait : des loups vivants, des immortelles pluricentenaires, des loups morts.

Will Scheidmann était à demi vautré sur le lit de Varvalia Lodenko. La yourte s'était beaucoup dégradée depuis que Varvalia Lodenko était partie rectifier les erreurs de son petit-fils. Will Scheidmann ne s'y sentait pas chez lui et il n'avait touché à rien depuis qu'on l'avait gracié et qu'on lui avait attribué ce nouveau logement, seize ans auparavant. Quand les vieilles allaient nomadiser, il ne les suivait pas. La tente n'avait donc plus jamais été démontée, et les treillis qui soutenaient les couvertures avaient fini par pourrir, provoquant un effondrement partiel de la structure. Will Scheidmann se leva, il progressa avec lenteur en direction du rectangle de feutre qui bouchait la porte. Il avait une démarche d'infirme. Les algues de cuir qui bourgeonnaient partout sur son corps l'empêchaient d'avancer, se prenaient dans ses jambes, bruissaient.

– Scheidmann ! cria quelqu'un.

– Scheidmann, nous sommes là, qu'est-ce que tu fabriques ? protesta une autre vieille.

– J'arrive ! hurla-t-il.

C'étaient ces voix exigeantes, toujours les mêmes, dont les sonorités lui perçaient la mémoire jusqu'aux couches les plus primitives, jusqu'à la strate première de sa naissance et même avant, jusqu'à la période du dortoir, quand ses grands-mères manipulaient sa forme embryonnaire et feulaient au-dessus de lui pour lui transmettre leur vision du monde.

Il écarta le rideau, il sortit. Il se tint sur le seuil pendant cinq minutes, massif comme un yack.

– J'écoutais un quatuor de Baldakchan, dit-il.

Elles se rapprochèrent. Elles avaient pris la mauvaise habitude de tendre les mains vers lui et d'agripper les bandelettes de peau qui l'avaient transformé en un répugnant buisson de chair. Parfois, elles tiraient dessus avec assez de force pour en arracher une. Comme, malgré leurs prières, il refusait de leur fournir plus d'un narrat étrange par jour, elles essayaient de remplacer les narrats par ces lambeaux. Elles s'emparaient d'un goémon de cuir et elles l'examinaient longuement, elles le flairaient, elles le mordillaient, convaincues que de cette manière elles récupéraient des bribes de souvenirs qui s'étaient dissous dans l'abîme du temps et le gâtisme. Elles mesuraient la différence entre un goémon ignoble et un narrat étrange, mais elles avaient trouvé ce moyen de se soulager quand elles étaient en manque. Will Scheidmann parfois les laissait faire, et parfois non.

– Ne vous approchez pas, ordonna-t-il. Nous écoutions la *Troisième Chanson golde*. Il y avait Solange Bud. Nous étions tous au bord de la mare, en train d'admirer, dans l'obscurité, les effets de moire jaunâtre. Le chlore s'évaporait en longues voltes. À côté de moi, un loup venait de mourir, nommé Battal Mevlido.

– Un loup brun, à la queue grise, très fournie, avec une tache beige sur le museau et la patte arrière droite raidie par une blessure de balle ? demanda Solange Bud.

Will Scheidmann gronda. Il n'aimait pas être interrompu pendant la récitation d'un narrat étrange.

– Non, dit-il. Dans l'éclairage verdâtre du chlore, il paraissait roux. Il ne boitait pas.

– Alors, ce n'était pas Battal Mevlido, murmura Solange Bud, puis elle se remit à tousser.

Tout autour, les vieilles tendaient la main pour arracher à Scheidmann des morceaux de peau. Solange Bud toussait et toussait, horriblement. Scheidmann recula d'un pas.

– J'ai dit Battal Mevlido, mais c'était moi, dit-il. J'ai donné ce nom pour qu'on ne pense pas que je parle toujours de moi, et jamais des autres. Mais c'était moi.

39. LINDA SIEW

Une nuit, alors que sur l'avenue Meyerberh peu de voitures circulaient, Abacheïev vit une lampe s'allumer dans la grande barre d'habitations qui faisait l'angle avec le boulevard des Rambutans, puis s'éteindre, et, les nuits suivantes, il nota plusieurs fois la présence d'une lumière. Quelqu'un nidifiait au cinquième étage. Statistiquement, il y avait de grandes chances que ce fût une femme, au moins une chance sur deux, en tout cas. Comme la solitude pesait à Abacheïev, il décida de préparer un repas pour sa nouvelle voisine et d'aller le lui offrir.

Abacheïev connaissait la recette de plusieurs plats compliqués, mais les ingrédients manquaient. Trois jours furent consacrés à la collecte des éléments qui lui permettraient de cuisiner ce qu'il avait en tête : d'une part un sauté d'agneau à la mongole, d'autre part un curry vert de poulet.

Il se mit ensuite au travail.

Il commença par l'agneau. Faute de viandes appropriées, il avait dû remplacer l'agneau et le poulet par des mouettes dont il avait ramassé les cadavres sur les berges du Kanal. Elles étaient lourdes, imposantes. Il les avait plumées et désossées devant les eaux glauques du Kanal.

Ayant enlevé les restes de peau, il débita la chair en lamelles pour le sauté, en morceaux plus gros pour le curry, et il mélangea les lamelles avec une marinade à base de gingembre, d'ail, de sauce soja, d'huile de sésame, de vin de riz. Il fit pleuvoir là-dessus une cuillère de fécule et remua.

Plus importune que celle de l'ail et du gingembre, une odeur de carne collait à ses mains. Il se savonna les paumes avec vigueur. Les mouettes qu'il avait équarries appartenaient à une espèce indistincte. Elles n'étaient pas rieuses, et, de toute façon, elles étaient mortes. Le repli sous les ailes était l'endroit qui exhalait l'arôme le plus corsé, mais le reste du corps aussi sentait fort. Abacheïev se relava les mains. Il détestait sur lui-même ce remugle d'oiseau sale.

Il fallut ensuite casser une noix de coco pour en récupérer le lait. Abacheïev râpa la pulpe et il la pressa jusqu'à avoir obtenu deux bols de liquide. Il y ajouta des piments verts qu'il avait épépinés et, à part, il fit griller des miettes de piments rouges, trois poignées de graines de coriandre, de la pâte de crevettes et du cumin.

Le parfum des épices brûlantes fumait autour de lui. Abacheïev les transvasa dans un mortier et il les pila longuement en compagnie du gingembre et de l'ail qui lui restaient, puis il fit revenir la pâte dans l'huile, et ensuite il l'additionna au lait de coco pimenté, où déjà mitonnaient les morceaux de la plus grasse mouette, les ailes de la plus maigre.

Quand on confectionne plusieurs plats en même temps, la règle d'or est de bien coordonner les échéances cruciales, afin de ne pas sacrifier l'une pour l'autre et d'avoir toujours, pour la cuisson, la maîtrise du minutage. Les épluchages de dernière minute, par exemple, peuvent avoir des conséquences néfastes. Abacheïev savait cela, et il préférait émincer et hacher à l'avance tout ce qui devait l'être. Profitant d'un creux dans sa surveillance anxieuse des casseroles, il découpa un oignon en fins croissants et il versa dans une tasse le sachet de graines de sésame avec quoi il comptait, au moment de servir, parsemer le sauté d'agneau. Puis il alla chercher le citron vert qu'il presserait au-dessus du curry, en fin de cuisson, et il le posa à portée de main.

Puis il lava la vaisselle, le désordre refluait, il essuya le mortier, des couverts, il les rangea.

La cuisine embaumait. Les effluves un peu désastreusement dominateurs de la pâte de crevettes s'étaient harmonisés aux parfums plus doux qu'ils côtoyaient. Le curry allait vers sa fin. Abacheïev y introduisit trois cuillères de beurre de cacahuètes et baissa le feu. Il n'y aurait pas de riz pour accompagner le repas. Comme il ne pouvait pas transporter plus de deux récipients, Abacheïev avait fait ce choix. D'un point de vue diététique, c'était dommage, mais, objectivement, c'était inévitable.

Abacheïev remit de l'huile dans la poêle. L'huile grésilla, il y jeta l'oignon qu'il fallait faire blondir avant de saisir l'agneau ou son ersatz.

À cet instant, il y eut une coupure de gaz.

Très vite, l'huile cessa de chuinter.

Abacheïev gémit. Les coupures de gaz pouvaient durer des jours. Devant lui, par inertie thermique, le curry continuait à bouillonner.

Abacheïev ferma le robinet du gaz. Il gémissait encore, mais il n'avait pas perdu le contrôle de la situation. Il allait modifier son menu. Avec le curry de poulet, il présenterait un tartare de mouette. On pouvait espérer que la marinade aurait parfumé et attendri la chair crue. Il arrosa le curry avec le jus du citron vert, fit pleuvoir sur la viande marinée les croissants d'oignon à peine tièdes, les graines de sésame. Les deux plats réjouissaient l'œil.

Abacheïev maintenant pouvait quitter son appartement.

Il eut du mal à traverser l'avenue. Les automobiles étaient nombreuses, et les casseroles qu'il brandissait l'empêchaient de zigzaguer et de bondir. Il atteignit néanmoins l'autre rive. Il se dirigea vers le boulevard des Rambutans.

La soirée avait débuté, les lampadaires illuminaient le trottoir vide. Aucun piéton n'était en vue. Quant aux conductrices de véhicules, elles ralentissaient à la hauteur d'Abacheïev, mais on ne voyait leurs noms que durant une fraction de seconde, car elles éteignaient presque aussitôt l'éclairage de leur plaque d'immatriculation.

L'une d'elles s'appelait Yashreene Kogan.

Une autre passa, Linda Siew, identifiée elle aussi par sa plaque.

Comme le curry refroidissait, Abacheïev pressa le pas.

Ensuite, sa trace se perd. Abacheïev aura-t-il réussi à acheminer sans encombre ses présents de bon voisinage ? Aura-t-il été bien accueilli, ou avec hostilité ? Sera-t-il parvenu jusqu'au cinquième étage de l'immeuble ? N'aura-t-il pas été interpellé, bien avant, juste après avoir tourné le coin du boulevard des Rambutans, par Yashreene Kogan ou Linda Siew ? Son plat chaud aura-t-il été apprécié ou dédaigné ? Et son plat froid ? Parmi les mets offerts, ce soir-là, lequel aura été mangé en priorité ?

40. DICK JERICHOE

Maintenant, écoutez-moi bien. Je ne plaisante plus. Il ne s'agit pas de déterminer si ce que je raconte est vraisemblable ou non, habilement évoqué ou pas, surréaliste ou pas, s'inscrivant ou non dans la tradition post-exotique, ou si c'est en murmurant de peur ou en rugissant d'indignation que je dévide ces phrases, ou avec une tendresse infinie envers tout ce qui bouge, et si on distingue ou non, derrière ma voix, derrière ce qu'il est convenu d'appeler ma voix, une intention de combat radical contre le réel ou une simple veulerie schizophrène en face du réel, ou encore une tentative de chant égalitariste, assombrie ou non par le désespoir et le dégoût devant le présent ou devant l'avenir. Là n'est pas la question. Ou même de savoir si Will Scheidmann a vécu avant ou après des romanciers méconnus mais essentiels tels que Lutz Bassmann ou Fred Zenfl ou Artiom Vessioly, et pendant les camps et les prisons, ou, disons, peu de temps après, ou deux siècles ou neuf siècles plus tard, et si la langue de ceux et de celles qui ici parlent ou se taisent est parente des dialectes altaïques, ou dominée par les influences slaves ou chinoises, ou, au contraire, proche des langues chamaniques des Rocheuses ou des Andes, ou plus sorcière encore. Il ne s'agit absolument pas de cela. Je ne fournis ici aucune matière destinée à ce genre de spéculation. Je ne fais preuve ici d'aucun parti pris poétique de décalage ou de travestissement magicien ou métaphorique du monde. Je parle la langue d'aujourd'hui et nulle autre. Tout ce que je raconte est vrai à cent pour cent, que je le raconte de façon partielle, allusive, prétentieuse ou barbare, ou que je tourne autour sans le raconter vraiment. Tout a déjà eu lieu exactement comme je le décris, tout s'est déjà produit ainsi à un moment quelconque de votre vie ou de la mienne, ou aura lieu plus tard, dans la réalité ou dans nos rêves. En ce sens, tout est très simple. Les images parlent d'elles-mêmes, elles sont sans artifice, elles n'habillent rien de plus qu'elles-mêmes et ceux qui parlent. C'est pourquoi il est peu utile de produire ici un bilan chiffré, un exposé brut de la situation.

Prenons, par exemple, l'épopée rectificatrice de Varvalia Lodenko, ses appels au massacre des puissants, sa nostalgie d'une abolition parfaite de tout privilège. La question n'est pas de savoir si, oui ou non, il s'agit d'une rêverie bien-pensante, ou si le fusil de Varvalia Lodenko a bel et bien retenti dans le réel ou s'apprête à le faire. Là n'est absolument pas le problème. J'ai indiqué ici et là que Varvalia Lodenko allait de ville en ville, prônant le retour au maximalisme et mettant en œuvre sans tergiverser son programme de lutte minimale, fondée en premier lieu sur l'élimination physique de ceux qui avaient resurgi du néant, les exploiteurs et les mafieux et les chantres de l'exploitation et de la mafia, et en second lieu sur le sabordage de tous les mécanismes de l'inégalité économique et sur l'arrêt immédiat de toute circulation des dollars. Il a été dit qu'il y avait dans le sillage de cette femme une longue traîne de sang capitaliste, ce qui est une autre manière de souligner que, derrière elle, n'existait plus de différence entre riches et pauvres, entre nababs et déguenillés. Après le passage de Varvalia Lodenko, on était donc enfin de nouveau à l'aise pour vivoter fraternellement et bâtir sans honte de nouvelles ruines, ou, du moins, pour habiter sans honte les débris de tout. Ces faits n'ont rien à voir avec l'invention romanesque, ils coïncident avec une vérité vraie à cent pour cent et ne méritent pas d'être alourdis par des développements lyriques superflus.

Un élément, néanmoins, n'a pas été mentionné, et c'est peut-être l'unique détail sur quoi j'aimerais ici revenir. Varvalia Lodenko n'a pas agi toujours dans une solitude écrasante. Quand nous étions prévenus de son arrivée quelque part, nous nous arrangions pour l'accueillir avec une fanfare, une banderole et du pemmican, et aussi de l'alcool de lait, quand nous avions pu nous en procurer. Par nous, j'entends ici quelques individus des quartiers jouxtant le Kanal, tels que moi et Dick Jerichoe et la compagne de Dick, Careen Jerichoe. Je jouais de l'harmonica, Careen Jerichoe chantait, Dick Jerichoe nous secondait au rebec alto. Ce n'était pas un altiste extraordinaire, mais il préparait des pemmicans insurpassables.

Comme nous redoutions qu'aux étapes suivantes Varvalia Lodenko ne bénéficiât pas d'un accueil aussi agréable que chez nous, nous avions pris le statut d'orchestre itinérant et nous la devancions sur son parcours transcontinental. En sus de nos instruments, nous emportions quelques casse-tête. Pour se rendre d'une ville à l'autre il était nécessaire souvent de marcher au milieu de la désolation pendant des années entières. Comme aux débuts de l'humanité, les distances n'étaient pas à échelle humaine. Sur la planète subsistaient encore plusieurs foyers de peuplement, près du lac Hövsgöl, ou sur les rives du Mékong ou de l'Orbise, ainsi que dans plusieurs bourgades qui, selon l'évolution de la mortalité et du climat, se succédèrent dans le rôle de capitale, et dont les noms me sont sortis de la mémoire, à l'exception notable de Luang Prabang. Un des musiciens préférés de Varvalia Lodenko était Kaanto Djylas. J'incluais toujours un madrigal de Djylas à notre programme. Elle l'écoutait en fumant des pipes très âcres, puis elle allait dormir dans des arrière-ruines et, le lendemain, après avoir repéré les lieux, elle partait réaliser concrètement son programme d'extirpation des racines humaines du malheur. Je lui donnais parfois un coup de main pour l'assassinat de tel ou tel. Les mauvais décrets qu'avait signés Will Scheidmann n'avaient pas accéléré la disparition de l'espèce humaine, mais ils ne l'avaient pas ralentie non plus. Presque plus aucun enfant ne naissait. Pour qu'une fécondation donnât quelque chose, il fallait faire à notre manière, entre vieux. Dans les arrière-ruines, je donnais aussi parfois un coup de main à Varvalia Lodenko en ce domaine.

41. COSTANZO COSSU

Le dernier bac larguait les amarres. Khrili Gompo entendit les cordages retomber dans la boue et il entendit le grincement des manivelles, suivi du clapotis des aubes sur les eaux lisses, et, à l'entrée du ponton, devant la cabane de l'homme qui vendait les billets et qui campait toutes les nuits du mauvais côté du fleuve, dans sa hutte en treillis de palmiers, il entendit également une voix plaintive. Ça ne fait rien, disait la voix, c'est plutôt demain que je comptais traverser. Et ensuite la voix insista, Je prendrai celui de demain matin, le premier de la journée est moins cher, non ?…

Autour de Khrili Gompo, la lumière rasait les flots onctueux du fleuve et, sur la rive opposée, à huit cents mètres, elle parsemait d'ors roussâtres les arbres aux frondaisons épaisses, au-delà de quoi on ne devinait rien de précis, seulement un moutonnement vert sans limites, car, derrière le fleuve et derrière la bande étroite où se dressaient les quartiers lacustres et quelques temples, la forêt s'étendait, inhabitée et immense.

Le soleil se couchait.

Gompo cligna des yeux, il s'était adossé à un tronc de cocotier, il disposait de seize minutes. L'horaire, je m'en fiche, dit encore la voix. Ce qui m'intéresse, c'est la réduction que...

Une réduction ? réagit enfin l'employé du bac. À quel titre ?

Khrili Gompo s'appuyait contre les écailles pourries du cocotier, il feignait la somnolence. Malheureusement, la place n'était pas bonne. Comme cela parfois se produit au crépuscule, des centaines de fourmis ailées se détachaient des palmes où elles avaient passé la journée et se laissaient choir en direction du sol. Gompo recevait cette pluie qui lui noircissait les épaules et les bras, la tête, et, de peur d'attirer sur lui l'attention, il ne gesticulait pas pour s'en débarrasser.

Bon, dit l'homme, et en tant que réfugié, hein ?... Pas un motif de ristourne, dit l'autre. Ah, dit l'homme, déçu, puis il commença à énumérer les tares physiques et mentales qui l'affligeaient, et les malheurs qui l'avaient frappé, lui et ses proches, autrefois et plus récemment. Rien de tout cela n'ouvrait droit au demi-tarif. Je m'appelle Costanzo Cossu, finit-il par dire. C'est un nom de clown. Dans certains endroits, on laisse passer gratuitement les amuseurs. Pas ici ?

Le bac s'éloignait sans bruit. Personne n'était resté sur cette rive du fleuve, à l'exception de Gompo, du vendeur de tickets et de Costanzo Cossu. Captivés par leur joute oratoire, les deux hommes ne regardaient pas le loqueteux qui paraissait dormir contre un arbre, à une dizaine de mètres. Eux-mêmes n'avaient pas fière allure ; des chemises et des casquettes déchirées, des shorts immondes, des sandales décousues, rafistolées avec des brins de raphia. L'employé du bac avait une musette en bandoulière, Costanzo Cossu avait pour bagage un sac en plastique décoré avec l'adresse d'un supermarché. Tous deux semblaient prêts à dresser une liste exhaustive des diverses situations de détresse qui n'apportaient aucun avantage spécial aux voyageurs. Costanzo Cossu avançait des motifs d'exonération ou de rabais, le gardien les refusait. Et si on m'embarquait comme bagage accompagné ? proposa Costanzo Cossu. Ou dans la catégorie Untermensch ? Je me recroquevillerai parmi les paquets, je resterai inerte, je ne protesterai pas si on jette sur moi des ballots infects.

– Non ?

– Non.

La quiétude du soir avait une qualité intemporelle. Un héron blanc longea la berge en direction de l'aval et disparut, le ciel ne rougeoyait plus du côté de la bananeraie, déjà une brume bleuâtre enfumait la courbe du fleuve, les cigales avaient mis fin à leur criaillerie, un buffle meugla, la route qui menait au débarcadère s'emplit de moustiques, un crapaud coassa, sur la berge adverse des pêcheurs minuscules relevaient un carrelet depuis une embarcation minuscule, on voyait naître des lumières ici et là, le bac n'était plus qu'une tache lointaine sur les eaux ocre. Quelque chose fit un bruit de scaphandre à l'intérieur du crâne de Khrili Gompo, lui signalant qu'une nouvelle minute venait de s'achever.

Les fourmis ailées grouillaient par dizaines dans son col. Et en m'inscrivant comme cadavre ?... Comme marchandise en vrac ? proposa l'homme. Comme objet trouvé ?

Des gouttes de sueur perlaient sous le nez de Gompo, derrière ses oreilles, sur son cou, et ensuite il se mit à ruisseler. Parfois, j'ai des cauchemars où apparaît une femme prénommée Barbe, racontait Costanzo Cossu. Ça mérite bien un pourcentage, non ?... Même minime ?

– Et si j'étais un extraterrestre ? suggéra-t-il soudain.

Il y eut ensuite une phrase chuchotée, les deux hommes se rapprochèrent. Khrili Gompo aperçut leur regard se couler vers lui avec insistance. Costanzo Cossu avait l'air fou. Un extraterrestre couvert de fourmis ? lança-t-il, méchamment.

Gompo frissonna. C'était la deuxième fois en trois cents ans que quelqu'un le soupçonnait ainsi, à bout portant, d'être étranger au réel terrestre. Et, que le soupçon fût fondé ou non, c'était formidablement désagréable.

42. PATRICIA YASHREE

Après trente-deux ans de sordide calme plat, je fis un rêve où des gens m'assurèrent avoir récemment rencontré Sophie Gironde. Je m'étais beaucoup langui d'elle pendant les trois décennies qui venaient de s'écouler, et, si je voulais conserver des chances de ne pas la perdre de vue, il fallait que je m'incruste coûte que coûte à l'intérieur de ce rêve et que je l'attende.

C'était un de ces songes où rien de vraiment effrayant ne se produit, mais où toute minute est vécue avec un fort sentiment de malaise. La ville restait crépusculaire quelle que fût l'heure ; on s'y égarait facilement ; certains quartiers avaient disparu sous le sable, d'autres non. À chaque fois que je regardais ce qui se passait dans la rue, je voyais des oiseaux mourir. Ils descendaient en vol plané, ricochaient sur le bitume avec un bruit pathétique, sans un cri, et, au bout d'un moment, ils cessaient de se débattre.

Je m'installai là, dans ce rêve, dans cette ville. Il y avait des millions de maisons abandonnées, dont les portes, comme partout ailleurs, avaient servi de bois de chauffage, de sorte qu'il fallait chercher dans les recoins les moins accessibles pour trouver un logis décent. Je m'appropriai un trois-pièces en lisière des dunes rouges. L'existence se poursuivit, elle n'était ni dangereuse ni agréable. On me confia plusieurs activités indécises, des tâches sans queue ni tête, et, pour finir, on m'attribua un emploi stable près des incinérateurs. Je dis on pour donner l'impression qu'une organisation sociale était en place, mais, en réalité, j'étais seul.

Dix mois plus tard, je revis Sophie Gironde.

Elle remontait l'avenue des Archers en compagnie d'un homme et d'une femme que j'avais connus dans les camps, trois cent vingt-sept ans auparavant : Patricia Yashree et Tchinguiz Black.

Je les hélai, tous les trois, ils se retournèrent, aussitôt gesticulèrent.

Nous nous embrassâmes. Sophie Gironde avait grossi. Elle avait l'air triste. Elle vint se frotter avec impudeur contre moi pendant plusieurs minutes, comme si nous étions seuls au monde ; elle me soufflait sur le visage une haleine capiteuse de chamane fatale, elle me touchait les omoplates et les hanches, et nous restâmes ainsi, suspendus dans la lumière imprécise, incapables de prononcer la moindre syllabe et même de formuler une pensée nostalgique ou constructive, seulement conscients de notre absence de passion et conscients qu'autour de nous les secondes s'égrenaient et que des corbeaux atterrissaient sur le bitume et s'assommaient, des vautours moines, des hornbills, des mainates, des pigeons.

Après un moment, Patricia Yashree se joignit à nous et déploya sur nous un châle noir qu'elle avait porté jusque-là sur les épaules, et elle nous enlaça. Avec une tendresse incrédule, nous nous balancions tous les trois sur le trottoir, échangeant de confus messages charnels, désolés de ne pas être plus émus car, pour tout dire, nous ne réussissions pas à savourer pleinement l'instant.

Tchinguiz Black s'était accroupi devant le caniveau, dans la position favorite des Mongols du camp de la Batomga pendant les pauses. Il attendait l'épuisement de notre intime théâtre. Il avait allumé une pipe et, à travers la fumée, il observait la rue. Un orage magnétique se préparait. L'air avait des profondeurs mauves et, de temps en temps, des éclairs lents y serpentaient, des étincelles hirsutes et engourdies, des marbrures d'ozone.

Plus tard, alors que nous marchions vers le quartier des grandes dunes, Sophie Gironde pointa la main vers la rue du Lac-Ayane. Une petite foule s'était rassemblée devant un cinéma dont il ne restait plus que la façade, et faisait la queue, comme si une séance allait prochainement avoir lieu.

– Attention, dit Tchinguiz Black. C'est sans doute un piège.

Nous nous approchâmes, mais nous maintenions entre le groupe et nous une distance respectueuse. Il y avait quatorze personnes, toutes extrêmement sales, avec des cheveux laineux et même croûteux, et des physionomies plus sinistres encore que la mienne. Ils patientaient dans la pénombre. Leurs regards refusaient les nôtres.

La dernière projection s'était déroulée trois siècles plus tôt, au minimum. L'affiche avait passé tout ce temps à brunir irrémédiablement dans son emplacement, mais on pouvait encore reconstituer quelques lettres, et donc le titre : *Avant Schlumm.* C'était un long métrage qu'on nous avait aussi projeté sur la Batomga, un mauvais film.

– J'y vais, dit soudain Patricia Yashree.

– Non, s'il te plaît, supplia Tchinguiz Black, mais elle était déjà hors d'atteinte.

Elle se glissa au milieu des spectateurs étranges. Je continuai à la repérer pendant deux ou trois minutes, puis je la perdis, car il y avait eu un mouvement collectif, une bousculade suivie d'une nouvelle pétrification. À partir de ce moment-là, il me fut impossible de la différencier des autres.

– Elle ne reviendra pas, dit Tchinguiz Black.

– Attendons quand même un peu, dis-je.

Nous nous assîmes sur un tas de sable, juste en face du cinéma. Sophie Gironde s'affala à côté de moi, puis se redressa. Elle ne disait pas un mot. Elle était vraiment beaucoup plus grosse que dans ma mémoire, moins sûre d'elle et comme moins décidée à vivre.

Le vent magnétique crissait et crépitait à cinq mètres au-dessus de nos têtes.

De nouveaux oiseaux se fracassaient sur le sol, à côté de nous, sur le pavé, sur le sable. Pour calmer son anxiété, Tchinguiz Black allait les identifier et les mesurer avec un ruban gradué qu'il avait tiré de sa poche. Il les mesurait du bec à la queue et d'une pointe de l'aile à l'autre. Quand les chiffres avaient un caractère vraiment anormal, il lâchait l'oiseau avec une brève exclamation de dégoût et il levait la tête, et nos yeux se croisaient, essayant de lancer un dialogue qui ne prenait pas.

Avec Tchinguiz Black j'avais en commun les années de camp, un intérêt inabouti pour l'ornithologie, une physionomie sinistre et aussi ces deux femmes, Sophie Gironde et Patricia Yashree, et la peur d'avoir perdu l'une d'elles à jamais, et une opinion négative sur le film *Avant Schlumm*; mais nous ne savions plus parler ensemble ni garder ensemble la bouche close.

43. MARIA CLEMENTI

Comme tous les 16 octobre depuis bientôt mille cent onze ans, j'ai rêvé cette nuit que je m'appelais Will Scheidmann, alors que mon nom est Clementi, Maria Clementi.

Je me suis réveillée en sursaut. La lune tremblait à travers le grillage qui obture la fenêtre, elle était ronde et petite, d'un ivoire sordide, elle avait la fièvre, elle ne cessait de frissonner bizarrement. C'est aussi que j'ai une maladie qui affecte ma vision nocturne. J'ouvre les yeux, et, dans les images que je reçois, les taches lumineuses dérivent ou s'agitent. Aucun bruit humain ne rôdait ailleurs dans le bâtiment, ma respiration n'avait pas de compagne. Au fond du couloir quelqu'un avait placé un seau sous une canalisation fissurée, l'eau gouttait dans le récipient avec de longs échos, comme dans un puits. L'air circulait sous la porte. Tout sentait mauvais alentour. J'eus envie de me rendormir au plus vite. Sur l'oreiller gisait une poignée de cheveux gris, perdus durant le sommeil. J'avais une haleine de chienne sale.

Au bout d'une minute, mon rêve revint, et, de nouveau, on me confia le rôle de Will Scheidmann. Quand je dis on, c'est, bien entendu, en regrettant de ne pouvoir attribuer un nom au metteur en scène.

Je connaissais Scheidmann depuis longtemps, mais il avait atteint un point de dégradation que j'aurais eu du mal à imaginer si on ne m'avait donné ici l'occasion d'habiter sa chair. Il avait changé de volume, il s'était ramifié, son corps ne répondait plus aux normes animales. D'immenses squames laineuses, parfois cassantes et parfois non, buissonnaient à partir de sites qui anciennement avaient dû coïncider avec le haut de son crâne, ou avec ses épaules, sa ceinture ; ou avec le poêle qui autrefois enfumait la yourte de Varvalia Lodenko.

Je sentais sous moi la steppe vide, jonchée d'absence, sans insectes ni bétail, ni fourrage, une terre morte qui ne communiquait plus avec rien. Tout le monde avait disparu sur terre, à l'exception des vieilles ou plutôt de ce qui subsistait d'elles, c'est-à-dire vraiment peu de chose. Les jours se succédaient sans fin, entrecoupés de nuits odieusement désertes. Des pluies d'étoiles filantes se déclenchaient à présent plusieurs fois par semaine. Elles aggravaient la rousseur et même la nature martienne du sol. Les météorites dégageaient des gaz pénibles. Il était souvent impossible de respirer pendant des heures.

Les vieilles rampaient en cercle dans les environs, elles étaient démantelées et amnésiques, incapables maintenant de refermer les phalanges ou la bouche sur mes peaux afin d'en ruminer le suc. Sans plus d'émotion ni de nostalgie elles tournaient lentement autour de moi, immortelles, impropres à la prolongation de leur vie mais ne sachant pas comment mourir, parfois cognant sur un vestige de casserole ou martelant les armatures de fer qui pendant un temps avaient servi à consolider leur squelette, parfois me laissant entendre, au moyen de vagues gesticulations, que je devais encore et encore, quelles que fussent les circonstances, produire pour elles des narrats étranges. Malgré sa métamorphose et en dépit de la progression du néant autour de lui, Will Scheidmann avait continué, en effet, à dire chaque jour une histoire, sans doute parce qu'il n'avait rien d'autre à dire ni à faire, ou peut-être parce que sa compassion envers ses grands-mères était follement docile, ou pour toute autre raison que nul ne réussirait désormais à éclaircir. Comme son public ne réagissait plus et comme tout était défunt jusqu'à l'horizon et au-delà, il lui arrivait de ne pas articuler l'anecdote jusqu'au bout ou de n'en souffler qu'une ébauche, mais, bon an mal an, il formulait quotidiennement quelque chose de nouveau. Il disposait ses narrats en tas de quarante-neuf unités. À ce monceau il donnait un numéro ou un titre.

Cette nuit-là, ce 16 octobre là, je lui suggérai de baptiser son prochain tas *Des anges mineurs*. C'était un titre que j'avais autrefois utilisé pour un românce, dans d'autres circonstances et dans un autre monde, mais il me semblait que cela s'accordait bien avec cette somme que Scheidmann était en train d'achever, ce dernier tas.

La lune était brouillée par le rêve et par une pluie d'étoiles filantes. Les pierres incandescentes trouaient mille fois la nuit et perçaient la terre avec un son aigu, un piaillement cosmique minuscule.

À chaque fois que l'une d'elles m'atteignait, je me réveillais. J'écoutais l'étoile ricocher près de mes pieds, crisser encore une seconde puis se taire. Je ne parvenais pas à accommoder dans l'obscurité. Je contemplais la lune qui tremblait de l'autre côté du mur, derrière la grille. De temps en temps, toute lumière sombrait. Je ne savais plus si j'étais Will Scheidmann ou Maria Clementi, je disais je au hasard, j'ignorais qui parlait en moi et quelles intelligences m'avaient conçue ou m'examinaient. Je ne savais pas si j'étais mort ou si j'étais morte ou si j'allais mourir. Je pensais à tous les animaux décédés avant moi et aux humains disparus et je me demandais devant qui je pourrais un jour réciter *Des anges mineurs.* Pour ajouter à la confusion, je ne voyais pas ce qui s'ouvrirait derrière le titre : un romånce étrange ou simplement une liasse de quarante-neuf narrats étranges.

Et soudain j'étais comme les vieilles, ahurie par l'interminable. Je ne savais pas comment mourir et, au lieu de parler, je bougeais les doigts dans les ténèbres. Je n'entendais plus rien. Et j'écoutais.

44. RIM SCHEIDMANN

Varvalia Lodenko fractura la serrure à la carabine et entra dans la chambre. Des poules caquetèrent, elles s'envolèrent au milieu d'une pluie de terre et de plumes et d'ustensiles et de bouteilles de plastique, car une étagère s'était rompue dans la pagaille, dans l'action, dans la pénombre lunaire, et déversait son contenu près du lit où était étendu le dernier mafieux du capitalisme. La chambre empestait la volaille et la gangrène. Le dernier mafieux allongea le bras, alluma la lampe de chevet. Il avait la figure défaite, une expression de fatalisme anxieux se recomposa peu à peu sur son visage, ses lèvres se tordirent sur un mot inexistant. Sous la menace, il se débarrassa de la couverture et se plaça sur le flanc. Huit jours plus tôt, Varvalia Lodenko l'avait blessé au-dessus du genou, ce qui avait permis de le suivre à la trace jusqu'à sa tanière. Un pansement souillé lui momifiait la cuisse. Après une demi-minute, la nièce du dernier mafieux pénétra à son tour dans la chambre. Ce n'était pas une capitaliste, elle travaillait dans un bureau de recensement, avec des vétérinaires et des statisticiens, elle savait que la population humaine comprenait à présent trente-cinq individus, en comptant elle-même, Will Scheidmann, les immortelles et le dernier représentant de la pègre capitaliste. Celui-ci allait mourir. Elle haussa les épaules, elle était enceinte, elle portait dans sa poche ventrale un enfant qu'elle avait confectionné presque seule, avec l'aide d'un vétérinaire, une fille déjà baptisée Rim Scheidmann et qui rétablirait l'ordre, les camps et la fraternité sur terre. Elle alla s'appuyer sur le rebord de la fenêtre sans jeter un regard sur son oncle. Elle devinait au-dehors les confins de l'avenue du Kanal, les dunes couleur de brique, la lune épuisée par son combat contre les nuages. Varvalia fit au couteau une entaille sous la cage thoracique du mafieux et elle y introduisit sa main à la manière mongole et fouilla, et, lorsque ses doigts furent parvenus autour de l'aorte, elle pinça celle-ci et comprima le cœur sous sa paume. On était un 17 octobre. La nièce du dernier riche continuait à se promener en pensée avec son enfant parmi les vestiges de l'univers.

Varvalia Lodenko maintenant essayait de briser la lampe de chevet. Elle la jeta plusieurs fois par terre et, comme l'objet roulait sans se casser, elle le prit avec sa main poisseuse de sang et elle l'éteignit.

45. DORA FENNIMORE

Dora Fennimore avait été placée en déséquilibre, des gens la poussaient et la bousculaient jour et nuit, elle devait se tasser de toutes ses forces contre Schlomo Bronx, elle lui comprimait terriblement le poumon et la hanche et la jambe gauches, et, au bout de quelques jours, Schlomo Bronx sentit que sa peau ne formait plus barrage et que leurs deux organismes s'étaient déchirés l'un contre l'autre et s'étaient soudés en un seul. D'après mes calculs, on avait alors déjà atteint l'aube du 18 octobre. J'aimais Dora Fennimore, je l'aimais assez pour ne pas lui faire grief de s'être fondue à moi et de m'avoir ainsi alourdi et endolori et rendu musculairement bizarre. J'entendis soudain qu'elle avait peur. Comme mes bras étaient pris en étau entre d'autres corps, je ne pouvais en aucune manière les libérer et la rassurer avec une caresse. La lassitude et ma position dans l'espace m'empêchaient de tourner mon regard vers elle et de lui sourire. Je le regrette, car je pense qu'elle aurait apprécié de voir mon sourire se poser sur elle.

J'avais passé cette première semaine de transport à chuchoter constamment la série de mots affectueux que nous avions forgés au long de notre vie commune, pour le jour où dans la promiscuité nous aurions à échanger de l'amour comme si nous étions seuls et comme si de rien n'était. J'ignore si elle les avait perçus. Elle n'avait pas eu la force de me répondre. Depuis le début, je l'entendais étouffer au milieu des carcasses haletantes et de leur obscurité nauséabonde. Quand je dis je, c'est en partie à Schlomo Bronx que je me réfère, mais en partie seulement, car je pense aussi à Ionathan Leefschetz et à Izmaïl Dawkes, qui avaient été pressés contre moi jusqu'à ce que nos clavicules se démembrent et s'entremêlent, et, au-delà de Leefschetz, à d'autres encore qui s'intégraient dans notre tas de chair collective. Parmi eux je mentionnerai Fred Zenfl, dont ce n'était pas le premier voyage, et qui était planté à la verticale, dans un angle, la nuque coincée et tordue, la tête immobilisée dans l'angle par une femme qui avait le malheur d'être grosse et qui gisait debout et pleurait, sans un geste et sans un mot, écrasant de sa masse ceux et celles qu'elle avait pour voisins, pour voisines. J'avais les yeux à la hauteur d'une fente entre les planches et il m'arrivait, par bouffées et quand le jour dehors se séparait de la nuit, de voir ce qui se produisait à l'extérieur ou, quand il ne se produisait rien, de me repaître du décor sur quoi quelque chose aurait pu se produire. Fred Zenfl, situé sur le côté opposé, sur tribord, devait bénéficier des mêmes privilèges que moi, des mêmes facilités visuelles, car plus tard il parla de ce qu'il avait aperçu, il le décrivit dans un petit ouvrage intitulé *Les sept derniers lieder*, un livre comprenant sept murmurats assez décevants, à l'évidence un de ses plus mauvais livres. Ce qu'il raconte ne rappelle pourtant pas ce que je distinguais sur bâbord et que je relatais à la cantonade, afin de distraire mes compagnes et mes compagnons ainsi que moi-même. Entre les planches, Fred Zenfl voyait défiler le paysage des forêts d'automne qui presque toujours splendidement annonce la proximité des camps, et il voyait des piles de mélèzes abattus et des petits lacs aux sombres couleurs et des postes de garde et des citernes rouillées, des camions rouillés, des hangars, des baraques insalubres, parfois des troupeaux de rennes cachés par les arbres, parfois des fumées, parfois aussi des centaines de kilomètres sans âme qui vive. Or, dans les fissures du bois qui devant moi s'entrouvrait, le spectacle était différent, presque toujours urbain. Les avenues désertes succédaient aux embranchements vides et aux voies abandonnées, les ruines étaient peu habitées, si l'on excepte des loups et quelques ombres mendiantes. Parfois, dans une cage d'ascenseur ou à un carrefour, on voyait s'agiter des cannibales et une de leurs victimes, mais, en général, il n'y avait pas matière à anecdote, et je préférais puiser en moi, dans mes souvenirs récents, les éléments de mon récit. Je disais, par exemple : Cette nuit, j'ai de nouveau rêvé que je me promenais rue du Kanal en compagnie de Dora Fennimore. Et, après une ou deux secondes de silence, j'ajoutais : Dora Fennimore avait une robe ravissante. Et, comme quelqu'un me demandait des précisions vestimentaires, je disais : Une longue robe chinoise, fendue, bleu profond, avec des revers *shocking rose.* Puis je laissais les exclamations admiratives se tarir, et ensuite je disais : Il régnait dans la rue du Kanal la même ambiance que sur le décor que je vois en ce moment entre les planches. Et, comme il fallait poursuivre, comme on m'invitait à aller de l'avant dans ma narration, je disais : C'est-à-dire qu'on ne savait pas si l'atmosphère était féerique ou extrêmement sinistre. Puis : Par exemple, au-dessus de nos têtes planaient des oiseaux et des papillons immenses, mieux adaptés que nous aux nouvelles conditions sociales et climatiques. Et, comme une voix derrière moi me demandait quel aspect, plus précisément, avaient ces bêtes, je disais : Ailées, d'un gris bouleversant, taillées dans des matières organiques veloutées, avec des yeux richement noirs qui observaient l'intérieur de nos rêves. Et, après une pause, j'ajoutais : Dora Fennimore et moi, nous nous promenions sous leurs ailes sans nous préoccuper d'autre chose que de vivre. Et, un peu plus tard, je complétais ma réflexion, disant : Nous étions ensemble dans le crépuscule, nous écoutions le bruit des ailes dans le ciel, nous respirions l'un contre l'autre en écoutant ce bruit, nous savions qu'il n'y avait rien à dire, de temps en temps nous nous étendions sur le trottoir pour mieux nous étreindre, ou nous nous approchions des palissades et nous plissions les yeux pour voir à travers les planches, et de temps en temps des oiseaux tombaient à proximité, écornant les immeubles au passage ou les réduisant en miettes, dans le silence, sans que nul ne crie.

46. SENGÜL MIZRAKIEV

La rumeur d'une cataracte enfla brusquement, puis le vacarme hésita et reflua. Il pleuvait en bordure de l'espace noir. Comme l'écoulement du temps n'avait pas encore débuté, l'ondée prit fin dans l'incertitude et, après des chutes de gouttes isolées, le silence se rétablit.

Khrili Gompo alors toussa, non en raison de l'humidité, mais parce qu'il n'avait pas respiré depuis une semaine et que la suie de la traversée lui encrassait les orifices. Sous l'effet de la toux, des conduits minuscules se débouchèrent, et, derrière son oreille interne, il entendit une voix qui lui rappelait son nom, Gompo, et ce qu'il avait à accomplir, engranger des images utiles pour notre connaissance du monde. Il avait dérivé très loin de l'objectif initial mais, au moins, il avait fini par se stabiliser quelque part. Le calendrier indiquait la date du 19 octobre, un lundi. C'est moi qui parlais. Je l'avertis que la plongée serait pour lui la dernière, et qu'elle durerait environ onze minutes et neuf secondes.

Khrili Gompo se tenait debout, près d'une boulangerie, et, comme une nausée atroce le ravageait, il s'approcha de la devanture et se laissa glisser jusqu'au sol. Il s'accroupit sur le trottoir, dans une position de momie aztèque, cette position que toujours nous préférons pour agir, les genoux touchant les épaules, les bras encerclant les genoux, le torse un peu relâché comme après un dernier soupir. A sa droite flânaient des odeurs de praline. Sur sa gauche, un soupirail exhalait des remugles de cave. Le magasin était fermé.

Pendant quatre minutes, Gompo se contenta de lutter contre l'envie de vomir. Des gens passaient devant lui, certains en imperméable, certains avec des physionomies paléozoïques, d'autres avec des chiens ou même des chats qui remarquaient Gompo et tiraient sur leur laisse pour le flairer. Une vieille dame portant une veste en faux alpaga s'inclina pour lancer entre ses pieds une pièce de monnaie, disons un demi-dollar. Les événements s'accéléraient, mais la moisson d'informations restait encore maigre. Dans le but de mieux observer son univers d'accueil, Khrili Gompo se redressa. Il s'était automatiquement mis en posture de mendiant.

Il lut qu'il se trouvait rue des Ardoises. La rue n'offrait aucun intérêt architectural. Elle était étroite et en pente.

Un homme nommé Sengül Mizrakiev s'approcha, posa une pièce dans sa main tendue, disons un dollar, et, après une légère hésitation, lui demanda l'heure. Par négligence, Khrili Gompo ne fit pas le geste de consulter son poignet gauche et, avec application, il traduisit l'indication que je lui livrais au même moment, à savoir qu'il lui restait cinq minutes et quarante-neuf secondes.

– Environ cinq minutes et quarante-sept secondes avant la fin, dit Khrili Gompo.

– Bon, dit l'homme.

Il était devant Gompo, indécis, prenant conscience des effluves affreusement carbonifères qui s'échappaient des loques de Gompo, et, soudain, il pâlit.

– De toute façon, moi, l'heure, dit-il.

Khrili Gompo acquiesça. L'homme avait un pull-over bleu marine à l'encolure déformée, et il avait l'air intelligent, l'air de savoir lire et peut-être même d'avoir lu un ou deux romans de Fred Zenfl. Il s'éloigna. Nul animal apprivoisé ne se dandinait derrière lui.

Par la suite, jusqu'à ce que se referme l'ultime seconde dispensée à Gompo, plus rien de significatif ne se produisit. Comme il aurait été trop compliqué de réaspirer Gompo après un résultat si médiocre, nous le laissâmes rue des Ardoises.

47. GLORIA TATKO

Le 20 octobre, nous nous engageâmes dans la galerie d'évacuation, chacun de nous se balançant à sa manière, chacun cherchant lourdement à éviter les portes derrière quoi il y avait des flammes ou du sang. Nous n'étions plus que deux. La lune se coucha, trois heures s'écoulèrent, puis la lune de nouveau refit surface, puis le jour se leva, puis de nouveau ce fut la fin du jour. Gloria Tatko marchait devant. Elle baissait la tête, elle regardait par en dessous, elle secouait ses cheveux qui ressemblaient à des tresses graisseuses et ses bras qui ressemblaient à de longues liasses de lanières vésiculeuses. Je me sentais triste de la voir dans cet état qui bientôt lui donnerait l'apparence affreuse de Will Scheidmann, tel que souvent il était dépeint dans les derniers chapitres des livres de Fred Zenfl. Les larmes me brouillaient la vue. Gloria Tatko se retourna, elle me précédait de cinq ou six mètres mais elle devait faire effort pour lancer jusqu'à moi, à travers les ronflements du feu, des mots intelligibles. Dépêche-toi ! cria-t-elle d'une voix défibrée, répugnante. Presse le pas si tu veux entrer à temps dans la matrice!… Les ourses vont accoucher, déjà elles se tordent dans les douleurs!… J'agitai la main pour montrer à Gloria que j'avais compris son avertissement. Gloria cria encore un début de phrase, mais, comme nous abordions une zone de turbulences, elle ne continua pas. Plutôt que d'accélérer le pas, je me mis à somnoler pour me défendre contre les périls. Les appartements brûlaient autour de nous. Des ascenseurs tombaient en sifflant, précédés et suivis de corps embrasés. En dehors de ces torches écarlates et du halo qu'elles précipitaient à grande vitesse vers le bas, il y avait peu de lumière. La lune approchait de son dernier quart et, deux nuits plus tard, elle n'éclaira plus notre progression. Les larmes me ravinaient le visage, c'était comme si je portais un masque en train de fondre. Je marchais sur les talons de Gloria Tatko. En raison de la chaleur, elle avait perdu ses vêtements et ses cheveux. Elle bredouillait en ma direction des conseils que je ne réussissais plus à déchiffrer. Non loin de là, les ourses rugissaient baveusement. Elles avaient les entrailles chaudes et elles souffraient. La période des premières contractions avait débuté. La lune réapparut sous forme d'une mince faucille. Dans la galerie que nous nous obstinions à parcourir, des portes s'étaient consumées; d'autres, la décrépitude les avait ouvertes. D'autres semblaient éternelles. J'avisai le numéro de l'une d'elles, 885, un numéro trop familier pour ne pas être sinistre. C'était celui de ma chambre. Nous avions tourné en rond. Je dis ma chambre pour ne pas m'égarer en explications oiseuses. Le 885 était un endroit où on m'avait relégué depuis le début, une cellule qui jouxtait la cabine de Sophie Gironde, la femme que j'aime et que je n'ai jamais rencontrée dans la réalité, car les couloirs sont dessinés de telle sorte que nul d'entre nous ne peut lier avec qui que ce soit de réel ou d'onirique des relations véritablement humaines ou réelles. Plus vite ! gémit Gloria Tatko. Il est bien tard, mon petit !… Il est si tard, maintenant !… J'imaginai les ourses qui se débattaient dans la pénombre des entreponts, qui se roulaient dans la peur et dans la souffrance ; il y avait des souillures sur leur pelage blanc, elles donnaient des coups de patte contre les murs ; le navire était vide, les matelots étaient ailleurs ou morts, j'entendais Sophie Gironde aller et venir d'un fauve à l'autre. Dépêche-toi, mon petit… souffla Gloria Tatko. Glisse de l'autre côté !… Elle se balançait au milieu d'une gerbe de flammes, elle me montrait par où passer, la lune était ronde au-dessus de nous, il n'y avait aucun chemin praticable. Je zigzaguai jusqu'à la porte de la cabine 886, jusqu'à son envers. Je plaquai sur le hublot ma face sanglotante. La vitre était épaisse. J'aperçus Sophie Gironde, puis elle se trouva hors de mon champ de vision. Elle était luisante de placenta. Les ourses blanches léchaient leurs petits et grondaient, gigantesques, couchées sur le dos, elles avaient des attitudes qui les rendaient tantôt joueuses, tantôt boudeuses. Je tapai du poing contre la porte. Aucun bruit n'en résulta. J'entendais les ourses, la voix de Sophie Gironde. J'ignore ce qu'elle disait, je ne sais pas avec qui elle parlait. Il était trop tard pour traverser la porte et sortir, que ce fût à l'intérieur d'une matrice ou à l'air libre. Ah, mon petit… soupira Gloria Tatko. Je pivotai en sa direction pour la rejoindre, je ne la vis pas, je l'appelai, elle ne répondit pas. De ce côté, le ciel était noir, sans étoiles. Plus rien ne brillait. Une coulure de délivre inutile barbouillait l'unique fenêtre où j'aurais pu encore plonger mes regards. Même le feu n'émettait plus aucune lumière.

48. ALIA ARAOKANE

Lisez les livres de Fred Zenfl, les livres sans fin aussi bien que ceux qu'il a écrits jusqu'au bout et dont la dernière page est toujours péniblement barbouillée de sang et de suie, lisez les romans qu'il a copiés parfois en deux et même trois exemplaires pour les distribuer aux amateurs, certains séjournent peut-être encore dans tel ou tel charnier, ils sont facilement accessibles si on gratte la cendre qui les entoure et si on écarte la chaux vive qui les imprègne et si on ne se préoccupe pas de ses propres sanglots, certains autres flottent encore entre deux eaux glauques, sous la surface de ses rêves ou des vôtres, lisez-les même si vous ne savez plus lire, aimez-les, souvent ils décrivent les paysages de l'abjection où on a obligé à respirer ceux qui avaient traversé vivants l'abjection, on y trouve aussi de jolies scènes de tendresse sensuelle, ce sont des romans qui malgré tout de temps en temps ne renoncent pas à l'éclairage des fidélités amoureuses et du souvenir, ce sont des livres construits sur ce qui reste quand il ne reste rien, mais il ne dépend que de vous qu'ils soient admirables, la plupart reprennent la rumination sur l'extinction de tout et de tous dans quoi se morfondait Fred Zenfl pendant et après les camps, lisez-les, recherchez-les, Fred Zenfl a beaucoup erré parmi les camps, il était si familier des barbelés qu'il leur a consacré un dictionnaire relevant leurs noms argotiques multiples, il aimait tant les régions concentrationnaires qu'il les appelait de ses vœux pour tous et pour toutes, écrivant continuellement sur le malheur et les hallucinations finales, lisez par exemple *Die Sieben Letzte Lieder*, un de ses plus mauvais textes, ou *Le 21 octobre*, un texte isolé qui est sans conteste le pire de tous, mais que pour ma part j'apprécie spécialement, car il y est dit que nous avons été compagnons de voyage et de désastre, et il est vrai que nous avons affreusement pleuré ensemble, bien qu'étant la plupart du temps très éloignés l'un de l'autre, en disant je j'évoque ici Alia Araokane, nous ne nous sommes connus qu'une seule nuit, lisez aussi le roman de Fred Zenfl que je préfère, il a été écrit pendant qu'une locomotive dépeçait et traînait son corps, c'est un roman assez amusant et varié pour plaire à tous et à toutes, lisez-le, lisez au moins celui-là et aimez-le.

49. VERENA YONG

Lorsque j'arrivai chez Enzo Mardirossian, il n'était nulle part visible. Je m'installai à proximité, mangeant les provisions que j'avais compté lui offrir pour rémunérer ses services. Il commençait à faire froid. Parfois, tandis que le jour déclinait, on voyait des flocons grisâtres sortir de terre et déraper en silence à hauteur d'homme, puis disparaître. La maisonnette du régleur de larmes avait l'aspect d'une ruine incendiée depuis des siècles, mais, comme la terre avait été longtemps étrillée par des orages de défoliant et de gaz, la végétation n'avait pas envahi l'endroit. Les ronces étaient chétives, les mûres qui noircissaient parmi les épines avaient goût de nitre. Disons que c'étaient les derniers fruits de l'automne et n'en parlons plus. Ensuite, je me dirigeai vers le puits. Je descendis, j'entrai, j'appelai. Dans les niches où quelqu'un aurait pu loger quelque temps, il n'y avait que des fragments d'étoffe brûlée ou pourrie. Je ressortis, on était le 22 octobre. A l'extérieur, le paysage finissait de se métamorphoser en boue nocturne. Je sais ce qu'aurait pu me dire le régleur : que tout en moi était détraqué, pas seulement les larmes, et que je pleurais n'importe comment et en désordre, et souvent à contretemps, ou sans cause, ou que je restais impassible sans raison. Il était trop tard pour guérir. Je décidai donc de me passer du régleur. On ne voyait déjà presque rien aux alentours. Guidé par une lueur, j'escaladai un monticule de cendres. Il y avait là une femme couchée à côté d'une lanterne. Nous fîmes connaissance, nous vécûmes un moment en haut du monde, nous eûmes trois enfants, des filles. L'une d'elles prit le nom de sa mère, Verena Yong. Elle était belle. Disons que c'était la dernière. Au bout de quelques années, les ténèbres augmentèrent. Il devint difficile de rester en place ou de bouger sans se perdre, et, brusquement, plus personne ne répondit à mes appels. Comme j'avais peur de quitter le halo que formait la lanterne dans l'espace noir, je me mis à vivoter près de la flamme. Une nuit, mes vêtements s'embrasèrent. Je me maintins au niveau de la cendre pendant quelque temps, en grelottant et en pleurnichant. Disons quatre ou cinq ans encore. Il m'arrivait d'émettre des gémissements pour faire semblant de parler avec le vent, mais plus personne ne s'adressait à moi. Disons que j'avais été le dernier, cette fois-là. Disons cela et n'en parlons plus.

QUARANTE-NEUF ANGES MINEURS
ONT TRAVERSÉ NOTRE MÉMOIRE,
UN PAR NARRAT. EN VOICI LA LISTE.

DU MÊME AUTEUR

Biographie comparée de Jorian Murgrave
Denoël, 1985 et 2003

Un navire de nulle part
Denoël, 1986 et 2003

Rituel du mépris
Denoël, 1986 et 2003

Des Enfers fabuleux
Denoël, 1988 et 2003

Lisbonne, dernière marge
Éditions de Minuit, 1990

Alto solo
Éditions de Minuit, 1991

Le Nom des singes
Éditions de Minuit, 1994

Le Port intérieur
Éditions de Minuit, 1996

Nuit blanche en Balkhyrie
Gallimard, 1997

Vue sur l'ossuaire
Gallimard, 1998

Le Post-exotisme en dix leçons, leçon onze
Gallimard, 1998

Dondog
Seuil, 2002
et « Points », n° P1129

Bardo or not Bardo
Seuil, 2004
et « Points », n° P1397

Nos animaux préférés : entrevoûtes
Seuil, 2006

Songes de Mevlido
Seuil, 2007
et « Points », n° P4024

Macau
Seuil, 2009

Écrivains
Seuil, 2010

Le Port intérieur
Éditions de Minuit, 2010

Terminus radieux
prix Médicis
Seuil, 2014

RÉALISATION : PAO ÉDITIONS DU SEUIL
IMPRESSION : CPI BRODARD ET TAUPIN À LA FLÈCHE
DÉPÔT LÉGAL : OCTOBRE 2001. N° 44461-5. (3008160)
IMPRIMÉ EN FRANCE

Éditions Points

Le catalogue complet de nos collections est sur Le Cercle Points, ainsi que des interviews de vos auteurs préférés, des jeux-concours, des conseils de lecture, des extraits en avant-première…

www.lecerclepoints.com

DERNIERS TITRES PARUS

P3000. Lettres d'amour en héritage, *Lydia Flem*
P3001. Enfant de fer, *Mo Yan*
P3002. Le Chapelet de jade, *Boris Akounine*
P3003. Pour l'amour de Rio, *Jean-Paul Delfino*
P3004. Les Traîtres, *Giancarlo de Cataldo*
P3005. Docteur Pasavento, *Enrique Vila-Matas*
P3006. Mon nom est légion, *António Lobo Antunes*
P3007. Printemps, *Mons Kallentoft*
P3008. La Voie de Bro, *Vladimir Sorokine*
P3009. Une collection très particulière, *Bernard Quiriny*
P3010. Rue des petites daurades, *Fellag*
P3011. L'Œil du léopard, *Henning Mankell*
P3012. Les mères juives ne meurent jamais, *Natalie David-Weill*
P3013. L'Argent de l'État. Un député mène l'enquête *René Dosière*
P3014. Kill kill faster faster, *Joel Rose*
P3015. La Peau de l'autre, *David Carkeet*
P3016. La Reine des Cipayes, *Catherine Clément*
P3017. Job, roman d'un homme simple, *Joseph Roth*
P3018. Espèce de savon à culotte ! et autres injures d'antan *Catherine Guennec*
P3019. Les mots que j'aime et quelques autres… *Jean-Michel Ribes*
P3020. Le Cercle Octobre, *Robert Littell*
P3021. Les Lunes de Jupiter, *Alice Munro*
P3022. Journal (1973-1982), *Joyce Carol Oates*
P3023. Le Musée du Dr Moses, *Joyce Carol Oates*
P3024. Avant la dernière ligne droite, *Patrice Franceschi*
P3025. Boréal, *Paul-Émile Victor*
P3026. Dernières nouvelles du Sud *Luis Sepúlveda, Daniel Mordzinski*
P3027. L'Aventure, pour quoi faire ?, *collectif*

P3028. La Muraille de lave, *Arnaldur Indridason*
P3029. L'Invisible, *Robert Pobi*
P3030. L'Attente de l'aube, *William Boyd*
P3031. Le Mur, le Kabyle et le marin, *Antonin Varenne*
P3032. Emily, *Stewart O'Nan*
P3033. Les oranges ne sont pas les seuls fruits
Jeanette Winterson
P3034. Le Sexe des cerises, *Jeanette Winterson*
P3035. À la trace, *Deon Meyer*
P3036. Comment devenir écrivain quand on vient
de la grande plouquerie internationale, *Caryl Férey*
P3037. Doña Isabel (ou la véridique et très mystérieuse histoire
d'une Créole perdue dans la forêt des Amazones)
Christel Mouchard
P3038. Psychose, *Robert Bloch*
P3039. Équatoria, *Patrick Deville*
P3040. Moi, la fille qui plongeait dans le cœur du monde
Sabina Berman
P3041. L'Abandon, *Peter Rock*
P3042. Allmen et le diamant rose, *Martin Suter*
P3043. Sur le fil du rasoir, *Oliver Harris*
P3044. Que vont devenir les grenouilles ?, *Lorrie Moore*
P3045. Quelque chose en nous de Michel Berger, *Yves Bigot*
P3046. Elizabeth II. Dans l'intimité du règne, *Isabelle Rivère*
P3047. Confession d'un tueur à gages, *Ma Xiaoquan*
P3048. La Chute. Le mystère Léviathan (tome 1), *Lionel Davoust*
P3049. Tout seul. Souvenirs, *Raymond Domenech*
P3050. L'homme naît grâce au cri, *Claude Vigée*
P3051. L'Empreinte des morts, *C.J. Box*
P3052. Qui a tué l'ayatollah Kanuni ?, *Naïri Nahapétian*
P3053. Cyber China, *Qiu Xiaolong*
P3054. Chamamé, *Leonardo Oyola*
P3055. Anquetil tout seul, *Paul Fournel*
P3056. Marcus, *Pierre Chazal*
P3057. Les Sœurs Brelan, *François Vallejo*
P3058. L'Espionne de Tanger, *María Dueñas*
P3059. Mick. Sex and rock'n'roll, *Christopher Andersen*
P3060. Ta carrière est fi-nie !, *Zoé Shepard*
P3061. Invitation à un assassinat, *Carmen Posadas*
P3062. L'Envers du miroir, *Jennifer Egan*
P3063. Dictionnaire ouvert jusqu'à 22 heures
Académie Alphonse Allais
P3064. Encore un mot. Billets du Figaro, *Étienne de Montety*
P3065. Frissons d'assises. L'instant où le procès bascule
Stéphane Durand-Souffland
P3066. Y revenir, *Dominique Ané*

P3067. J'ai épousé Johnny à Notre-Dame-de-Sion
Fariba Hachtroudi
P3068. Un concours de circonstances, *Amy Waldman*
P3069. La Pointe du couteau, *Gérard Chaliand*
P3070. Lila, *Robert M. Pirsig*
P3071. Les Amoureux de Sylvia, *Elizabeth Gaskell*
P3072. Cet été-là, *William Trevor*
P3073. Lucy, *William Trevor*
P3074. Diam's. Autobiographie, *Mélanie Georgiades*
P3075. Pourquoi être heureux quand on peut être normal ?
Jeanette Winterson
P3076. Qu'avons-nous fait de nos rêves ?, *Jennifer Egan*
P3077. Le Terroriste noir, *Tierno Monénembo*
P3078. Féerie générale, *Emmanuelle Pireyre*
P3079. Une partie de chasse, *Agnès Desarthe*
P3080. La Table des autres, *Michael Ondaatje*
P3081. Lame de fond, *Linda Lê*
P3082. Que nos vies aient l'air d'un film parfait, *Carole Fives*
P3083. Skinheads, *John King*
P3084. Le bruit des choses qui tombent, *Juan Gabriel Vásquez*
P3085. Quel trésor !, *Gaspard-Marie Janvier*
P3086. Rêves oubliés, *Léonor de Récondo*
P3087. Le Valet de peinture, *Jean-Daniel Baltassat*
P3088. L'État au régime. Gaspiller moins pour dépenser mieux
René Dosière
P3089. Refondons l'école. Pour l'avenir de nos enfants
Vincent Peillon
P3090. Vagabond de la bonne nouvelle, *Guy Gilbert*
P3091. Les Joyaux du paradis, *Donna Leon*
P3092. La Ville des serpents d'eau, *Brigitte Aubert*
P3093. Celle qui devait mourir, *Laura Lippman*
P3094. La Demeure éternelle, *William Gay*
P3095. Adulte ? Jamais. Une anthologie (1941-1953)
Pier Paolo Pasolini
P3096. Le Livre du désir. Poèmes, *Leonard Cohen*
P3097. Autobiographie des objets, *François Bon*
P3098. L'Inconscience, *Thierry Hesse*
P3099. Les Vitamines du bonheur, *Raymond Carver*
P3100. Les Trois Roses jaunes, *Raymond Carver*
P3101. Le Monde à l'endroit, *Ron Rash*
P3102. Relevé de terre, *José Saramago*
P3103. Le Dernier Lapon, *Olivier Truc*
P3104. Cool, *Don Winslow*
P3105. Les Hauts-Quartiers, *Paul Gadenne*
P3106. Histoires pragoises, *suivi de* Le Testament
Rainer Maria Rilke

P3107. Œuvres pré-posthumes, *Robert Musil*
P3108. Anti-manuel d'orthographe. Éviter les fautes par la logique, *Pascal Bouchard*
P3109. Génération CV, *Jonathan Curiel*
P3110. Ce jour-là. Au cœur du commando qui a tué Ben Laden *Mark Owen et Kevin Maurer*
P3111. Une autobiographie, *Neil Young*
P3112. Conséquences, *Darren William*
P3113. Snuff, *Chuck Palahniuk*
P3114. Une femme avec personne dedans, *Chloé Delaume*
P3115. Meurtre au Comité central, *Manuel Vázquez Montalbán*
P3116. Radeau, *Antoine Choplin*
P3117. Les Patriarches, *Anne Berest*
P3118. La Blonde et le Bunker, *Jakuta Alikavazovic*
P3119. La Contrée immobile, *Tom Drury*
P3120. Peste & Choléra, *Patrick Deville*
P3121. Le Veau *suivi de* Le Coureur de fond, *Mo Yan*
P3122. Quarante et un coups de canon, *Mo Yan*
P3123. Liquidations à la grecque, *Petros Markaris*
P3124. Baltimore, *David Simon*
P3125. Je sais qui tu es, *Yrsa Sigurdardóttir*
P3126. Le Regard du singe *Gérard Chaliand, Patrice Franceschi, Sophie Mousset*
P3127. Journal d'un mythomane. Vol. 2 : Une année particulière *Nicolas Bedos*
P3128. Autobiographie d'un menteur, *Graham Chapman*
P3129. L'Humour des femmes, *The New Yorker*
P3130. La Reine Alice, *Lydia Flem*
P3131. Vies cruelles, *Lorrie Moore*
P3132. La Fin de l'exil, *Henry Roth*
P3133. Requiem pour Harlem, *Henry Roth*
P3134. Les mots que j'aime, *Philippe Delerm*
P3135. Petit Inventaire des plaisirs belges, *Philippe Genion*
P3136. La faute d'orthographe est ma langue maternelle *Daniel Picouly*
P3137. Tombé hors du temps, *David Grossman*
P3138. Petit oiseau du ciel, *Joyce Carol Oates*
P3139. Alcools (illustrations de Ludovic Debeurme) *Guillaume Apollinaire*
P3140. Pour une terre possible, *Jean Sénac*
P3141. Le Baiser de Judas, *Anna Grue*
P3142. L'Ange du matin, *Arni Thorarinsson*
P3143. Le Murmure de l'ogre, *Valentin Musso*
P3144. Disparitions, *Natsuo Kirino*
P3145. Le Pont des assassins, *Arturo Pérez-Reverte*
P3146. La Dactylographe de Mr James, *Michiel Heyns*

P3147. Télex de Cuba, *Rachel Kushner*
P3148. Promenades avec les hommes, *Ann Beattie*
P3149. Le Roi Lézard, *Dominique Sylvain*
P3150. Scènes de la vie quotidienne à l'Élysée, *Camille Pascal*
P3151. Je ne t'ai pas vu hier dans Babylone
António Lobo Antunes
P3152. Le Condottière, *Georges Perec*
P3153. La Circassienne, *Guillemette de Sairigné*
P3154. Au pays du cerf blanc, *Chen Zhongshi*
P3155. Juste pour le plaisir, *Mercedes Deambrosis*
P3156. Trop près du bord, *Pascal Garnier*
P3157. Seuls les morts ne rêvent pas.
La Trilogie du Minnesota, vol. 2, *Vidar Sundstøl*
P3158. Le Trouveur de feu, *Henri Gougaud*
P3159. Ce soir, après la guerre, *Viviane Forrester*
P3160. La semaine où Jérôme Kerviel a failli faire sauter
le système financier mondial. Journal intime
d'un banquier, *Hugues Le Bret*
P3161. La Faille souterraine. Et autres enquêtes
Henning Mankell
P3162. Les deux premières enquêtes cultes de Wallander :
Meurtriers sans visage & Les Chiens de Riga
Henning Mankell
P3163. Brunetti et le mauvais augure, *Donna Leon*
P3164. La Cinquième Saison, *Mons Kallentoft*
P3165. Les Nouvelles Enquêtes du Juge Ti :
Panique sur la Grande Muraille
& Le Mystère du jardin chinois, *Frédéric Lenormand*
P3166. Rouge est le sang, *Sam Millar*
P3167. L'Énigme de Flatey, *Viktor Arnar Ingólfsson*
P3168. Goldstein, *Volker Kutscher*
P3169. Mémoire assassine, *Thomas H. Cook*
P3170. Le Collier de la colombe, *Raja Alem*
P3171. Le Sang des maudits, *Leighton Gage*
P3172. La Maison des absents, *Tana French*
P3173. Le roi n'a pas sommeil, *Cécile Coulon*
P3174. Rentrez chez vous Bogner, *Heinrich Böll*
P3175. La Symphonie des spectres, *John Gardner*
P3176. À l'ombre du mont Nickel, *John Gardner*
P3177. Une femme aimée, *Andreï Makine*
P3178. La Nuit tombée, *Antoine Choplin*
P3179. Richard W., *Vincent Borel*
P3180. Moi, Clea Shine, *Carolyn D. Wall*
P3181. En ville, *Christian Oster*
P3182. Apprendre à prier à l'ère de la technique
Gonçalo M. Tavares

P3183. Vies pøtentielles, *Camille de Toledo*

P3184. De l'amour. *Textes* tendrement *choisis par Elsa Delachair*

P3185. La Rencontre. *Textes* amoureusement *choisis par Elsa Delachair*

P3186. La Vie à deux. *Textes* passionnément *choisis par Elsa Delachair*

P3187. Le Chagrin d'amour. *Textes* rageusement *choisis par Elsa Delachair*

P3188. Le Meilleur des jours, *Yassaman Montazami*

P3189. L'Apiculture selon Samuel Beckett, *Martin Page*

P3190. L'Affaire Cahuzac. En bloc et en détail, *Fabrice Arfi*

P3191. Vous êtes riche sans le savoir *Philippe Colin-Olivier et Laurence Mouillefarine*

P3192. La Mort suspendue, *Joe Simpson*

P3193. Portrait de l'aventurier, *Roger Stéphane*

P3194. La Singulière Tristesse du gâteau au citron, *Aimee Bender*

P3195. La Piste mongole, *Christian Garcin*

P3196. Régime sec, *Dan Fante*

P3197. Bons baisers de la grosse barmaid. Poèmes d'extase et d'alcool, *Dan Fante*

P3198. Karoo, *Steve Tesich*

P3199. Une faiblesse de Carlotta Delmont, *Fanny Chiarello*

P3200. La Guerre des saints, *Michela Murgia*

P3201. DRH, le livre noir, *Jean-François Amadieu*

P3202. L'homme à quel prix ?, *Cardinal Roger Etchegaray*

P3203. Lumières de Pointe-Noire, *Alain Mabanckou*

P3204. Ciel mon moujik ! Et si vous parliez russe sans le savoir ? *Sylvain Tesson*

P3205. Les mots ont un sexe. Pourquoi « marmotte » n'est pas le féminin de « marmot », et autres curiosités de genre, *Marina Yaguello*

P3206. L'Intégrale des haïkus, *Bashō*

P3207. Le Droit de savoir, *Edwy Plenel*

P3208. Jungle Blues, *Roméo Langlois*

P3209. Exercice d'abandon, *Catherine Guillebaud*

P3210. Le Roman de Bergen. 1999 Le crépuscule – tome V *Gunnar Staalesen*

P3211. Le Roman de Bergen. 1999 Le crépuscule – tome VI *Gunnar Staalesen*

P3212. Amie de ma jeunesse, *Alice Munro*

P3213. Le Roman du mariage, *Jeffrey Eugenides*

P3214. Les baleines se baignent nues, *Eric Gethers*

P3215. Shakespeare n'a jamais fait ça, *Charles Bukowski*

P3216. Ces femmes qui ont réveillé la France *Valérie Bochenek, Jean-Louis Debré*

P3217. Poèmes humains, *César Vallejo*
P3218. Mantra, *Rodrigo Fresán*
P3219. Guerre sale, *Dominique Sylvain*
P3220. Arab Jazz, *Karim Miske*
P3221. Du son sur les murs, *Frantz Delplanque*
P3222. 400 coups de ciseaux et autres histoires, *Thierry Jonquet*
P3223. Brèves de noir, *collectif*
P3224. Les Eaux tumultueuses, *Aharon Appelfeld*
P3225. Le Grand Chambard, *Mo Yan*
P3226. L'Envers du monde, *Thomas B. Reverdy*
P3227. Comment je me suis séparée de ma fille et de mon quasi-fils, *Lydia Flem*
P3228. Avant la fin du monde, *Boris Akounine*
P3229. Au fond de ton cœur, *Torsten Pettersson*
P3230. Je vais passer pour un vieux con. Et autres petites phrases qui en disent long, *Philippe Delerm*
P3231. Chienne de langue française ! Répertoire tendrement agacé des bizarreries du français, *Fabian Bouleau*
P3232. 24 jours, *Ruth Halimi et Émilie Frèche*
P3233. Aventures en Guyane. Journal d'un explorateur disparu *Raymond Maufrais*
P3234. Une belle saloperie, *Robert Littell*
P3235. Fin de course, *C.J. Box*
P3236. Corbeaux. La Trilogie du Minnesota, vol. 3 *Vidar Sundstøl*
P3237. Le Temps, le temps, *Martin Suter*
P3238. Nouvelles du New Yorker, *Ann Beattie*
P3239. L'Embellie, *Audur Ava Ólafsdóttir*
P3240. Boy, *Takeshi Kitano*
P3241. L'Enfance des criminels, *Agnès Grossmann*
P3242. Police scientifique : la révolution. Les vrais experts parlent, *Jacques Pradel*
P3243. Femmes serials killers. Pourquoi les femmes tuent ?, *Peter Vronsky*
P3244. L'Histoire interdite. Révélations sur l'Histoire de France, *Franck Ferrand*
P3245. De l'art de mal s'habiller sans le savoir *Marc Beaugé (illustrations de Bob London)*
P3246. Un homme loyal, *Glenn Taylor*
P3247. Rouge de Paris, *Jean-Paul Desprat*
P3248. Parmi les disparus, *Dan Chaon*
P3249. Le Mystérieux Mr Kidder, *Joyce Carol Oates*
P3250. Poèmes de poilus. Anthologie de poèmes français, anglais, allemands, italiens, russes (1914-1918)
P3251. Étranges Rivages, *Arnaldur Indridason*
P3252. La Grâce des brigands, *Véronique Ovaldé*

P3253. Un passé en noir et blanc, *Michiel Heyns*
P3254. Anagrammes, *Lorrie Moore*
P3255. Les Joueurs, *Stewart O'Nan*
P3256. Embrouille en Provence, *Peter Mayle*
P3257. Parce que tu me plais, *Fabien Prade*
P3258. L'Impossible Miss Ella, *Toni Jordan*
P3259. La Politique du tumulte, *François Médéline*
P3260. La Douceur de la vie, *Paulus Hochgatterer*
P3261. Niceville, *Carsten Stroud*
P3262. Les Jours de l'arc-en-ciel, *Antonio Skarmeta*
P3263. Chronic City, *Jonathan Lethem*
P3264. À moi seul bien des personnages, *John Irving*
P3265. Galaxie foot. Dictionnaire rock, historique et politique du football, *Hubert Artus*
P3266. Patients, *Grand Corps Malade*
P3267. Les Tricheurs, *Jonathan Kellerman*
P3268. Dernier refrain à Ispahan, *Naïri Nahapétian*
P3269. Jamais vue, *Alafair Burke*
P3270. Homeland. La traque, *Andrew Kaplan*
P3271. Les Mots croisés du journal «Le Monde». 80 grilles *Philippe Dupuis*
P3272. Comment j'ai appris à lire, *Agnès Desarthe*
P3273. La Grande Embrouille, *Eduardo Mendoza*
P3274. Sauf miracle, bien sûr, *Thierry Bizot*
P3275. L'Excellence de nos aînés, *Ivy Compton-Burnett*
P3276. Le Docteur Thorne, *Anthony Trolloppe*
P3277. Le Colonel des Zouaves, *Olivier Cadiot*
P3278. Un privé à Tanger, *Emmanuel Hocquard*
P3279. Kind of blue, *Miles Corwin*
P3280. La fille qui avait de la neige dans les cheveux *Ninni Schulman*
P3281. L'Archipel du Goulag, *Alexandre Soljénitsyne*
P3282. Moi, Giuseppina Verdi, *Karine Micard*
P3283. Les oies sauvages meurent à Mexico, *Patrick Mahé*
P3284. Le Pont invisible, *Julie Orringer*
P3285. Brèves de copies de bac
P3286. Trop de bonheur, *Alice Munro*
P3287. La Parade des anges, *Jennifer Egan*
P3288. Et mes secrets aussi, *Line Renaud*
P3289. La Lettre perdue, *Martin Hirsch*
P3290. Mes vies d'aventures. L'homme de la mer Rouge *Henry de Monfreid*
P3291. Cruelle est la terre des frontières. Rencontre insolite en Extrême-Orient, *Michel Jan*
P3292. Madame George, *Noëlle Châtelet*
P3293. Contrecoup, *Rachel Cusk*

P3294. L'Homme de Verdigi, *Patrice Franceschi*
P3295. Sept pépins de grenade, *Jane Bradley*
P3296. À qui se fier ?, *Peter Spiegelman*
P3297. Dernière conversation avec Lola Faye, *Thomas H. Cook*
P3298. Écoute-moi, Amirbar, *Àlvaro Mutis*
P3299. Fin de cycle. Autopsie d'un système corrompu
Pierre Ballester
P3300. Canada, *Richard Ford*
P3301. Sulak, *Philippe Jaenada*
P3302. Le Garçon incassable, *Florence Seyvos*
P3303. Une enfance de Jésus, *J.M. Coetzee*
P3304. Berceuse, *Chuck Palahniuk*
P3305. L'Homme des hautes solitudes, *James Salter*
P3307. Le Pacte des vierges, *Vanessa Schneider*
P3308. Le Livre de Jonas, *Dan Chaon*
P3309. Guillaume et Nathalie, *Yanick Lahens*
P3310. Bacchus et moi, *Jay McInerney*
P3311. Plus haut que mes rêves, *Nicolas Hulot*
P3312. Cela devient cher d'être pauvre, *Martin Hirsch*
P3313. Sarkozy-Kadhafi. Histoire secrète d'une trahison
Catherine Graciet
P3314. Le monde comme il me parle, *Olivier de Kersauson*
P3315. Techno Bobo, *Dominique Sylvain*
P3316. Première station avant l'abattoir, *Romain Slocombe*
P3317. Bien mal acquis, *Yrsa Sigurdardottir*
P3318. J'ai voulu oublier ce jour, *Laura Lippman*
P3319. La Fin du vandalisme, *Tom Drury*
P3320. Des femmes disparaissent, *Christian Garcin*
P3321. La Lucarne, *José Saramago*
P3322. Chansons. L'intégrale 1 (1967-1980), *Lou Reed*
P3323. Chansons. L'intégrale 2 (1982-2000), *Lou Reed*
P3324. Le Dictionnaire de Lemprière, *Lawrence Norfolk*
P3325. Le Divan de Staline, *Jean-Daniel Baltassat*
P3326. La Confrérie des moines volants, *Metin Arditi*
P3327. L'Échange des princesses, *Chantal Thomas*
P3328. Le Dernier Arbre, *Tim Gautreaux*
P3329. Le Cœur par effraction, *James Meek*
P3330. Le Justicier d'Athènes, *Petros Markaris*
P3331. La Solitude du manager, *Manuel Vázquez Montalbán*
P3332. Scènes de la vie d'acteur, *Denis Podalydès*
P3333. La vérité sort souvent de la bouche des enfants
Geneviève de la Bretesche
P3334. Crazy Cock, *Henry Miller*
P3335. Soifs, *Marie-Claire Blais*
P3336. L'Œuvre de Dieu, la part du Diable, *John Irving*
P3337. Des voleurs comme nous, *Edward Anderson*

P3338. Nu dans le jardin d'Éden, *Harry Crews*
P3339. Une vérité si délicate, *John le Carré*
P3340. Le Corps humain, *Paolo Giordano*
P3341. Les Saisons de Louveplaine, *Cloé Korman*
P3342. Sept femmes, *Lydie Salvayre*
P3343. Les Remèdes du docteur Irabu, *Hideo Okuda*
P3344. Le Dernier Seigneur de Marsad, *Charif Majdalani*
P3345. Primo, *Maryline Desbiolles*
P3346. La plus belle histoire des femmes
Françoise Héritier, Michelle Perrot, Sylviane Agacinski, Nicole Bacharan
P3347. Le Bidule de Dieu. Une histoire du pénis
Tom Hickman
P3348. Le Grand Café des brèves de comptoir
Jean-Marie Gourio
P3349. 7 jours, *Deon Meyer*
P3350. Homme sans chien, *Håkan Nesser*
P3351. Dernier verre à Manhattan, *Don Winslow*
P3352. Mudwoman, *Joyce Carol Oates*
P3353. Panique, *Lydia Flem*
P3354. Mémoire de ma mémoire, *Gérard Chaliand*
P3355. Le Tango de la Vieille Garde, *Arturo Pérez-Reverte*
P3356. Blitz et autres histoires, *Esther Kreitman*
P3357. Un paradis trompeur, *Henning Mankell*
P3358. Aventurier des glaces, *Nicolas Dubreuil*
P3359. Made in Germany. Le modèle allemand
au-delà des mythes, *Guillaume Duval*
P3360. Taxi Driver, *Richard Elman*
P3361. Le Voyage de G. Mastorna, *Federico Fellini*
P3362. 5e avenue, 5 heures du matin, *Sam Wasson*
P3363. Manhattan Folk Story, *Dave Van Ronk, Elijah Wald*
P3364. Sorti de rien, *Irène Frain*
P3365. Idiopathie. Un roman d'amour, de narcissisme
et de vaches en souffrance, *Sam Byers*
P3366. Le Bois du rossignol, *Stella Gibbons*
P3367. Les Femmes de ses fils, *Joanna Trollope*
P3368. Bruce, *Peter Ames Carlin*
P3369. Oxymore, mon amour ! Dictionnaire inattendu
de la langue française, *Jean-Loup Chiflet*
P3371. Coquelicot, et autres mots que j'aime
Anne Sylvestre
P3372. Les Proverbes de nos grands-mères
Daniel Lacotte
(illustrations de Virginie Berthemet)
P3373. La Tête ailleurs, *Nicolas Bedos*
P3374. Mon parrain de Brooklyn, *Hesh Kestin*

P3375. Le Livre rouge de Jack l'éventreur
Stéphane Bourgoin
P3376. Disparition d'une femme. L'affaire Viguier
Stéphane Durand-Souffland
P3377. Affaire Dils-Heaulme. La contre-enquête
Emmanuel Charlot, avec Vincent Rothenburger
P3378. Faire la paix avec soi. 365 méditations quotidiennes
Etty Hillesum
P3379. L'amour sauvera le monde, *Michael Lonsdale*
P3380. Le Jardinier de Tibhirine
Jean-Marie Lassausse, avec Christophe Henning
P3381. Petite philosophie des mandalas. Méditation
sur la beauté du monde, *Fabrice Midal*
P3382. Le bonheur est en vous, *Marcelle Auclair*
P3383. Divine Blessure. Faut-il guérir de tout ?
Jacqueline Kelen
P3384. La Persécution. Un anthologie (1954-1970)
Pier Paolo Pasolini
P3386. Les Immortelles, *Makenzy Orcel*
P3387. La Cravate, *Milena Michiko Flašar*
P3388. Le Livre du roi, *Arnaldur Indridason*
P3389. Piégés dans le Yellowstone, *C.J. Box*
P3390. On the Brinks, *Sam Millar*
P3391. Qu'est-ce que vous voulez voir ?, *Raymond Carver*
P3392. La Confiture d'abricots. Et autres récits
Alexandre Soljénitsyne
P3393. La Condition numérique
Bruno Patino, Jean-François Fogel
P3394. Le Sourire de Mandela, *John Carlin*
P3395. Au pied du mur, *Elisabeth Sanxay Holding*
P3396. Nous cheminons entourés de fantômes aux fronts troués
Jean-François Vilar
P3397. Fun Home, *Alison Bechdel*
P3398. L'homme qui aimait les chiens, *Leonardo Padura*
P3399. Deux veuves pour un testament, *Donna Leon*
P4000. Sans faille, *Valentin Musso*
P4001. Dexter fait son cinéma, *Jeff Lindsay*
P4002. Incision, *Marc Raabe*
P4003. Mon ami Dahmer, *Derf Backderf*
P4004. Terminus Belz, *Emmanuel Grand*
P4005. Les Anges aquatiques, *Mons Kallentoft*
P4006. Strad, *Dominique Sylvain*
P4007. Les Chiens de Belfast, *Sam Millar*
P4008. Marée d'équinoxe, *Cilla et Rolf Börjlind*
P4009. L'Étrange Destin de Katherine Carr
Thomas H. Cook

P4010. Les Secrets de Bent Road, *Lori Roy*
P4011. Journal d'une fille de Harlem, *Julius Horwitz*
P4012. Pietra viva, *Léonor de Récondo*
P4013. L'Égaré de Lisbonne, *Bruno d'Halluin*
P4014. Le Héron de Guernica, *Antoine Choplin*
P4015. Les Vies parallèles de Greta Wells
Andrew Sean Greer
P4016. Tant que battra mon cœur, *Charles Aznavour*
P4017. J'ai osé Dieu, *Michel Delpech*
P4018. La Ballade de Rikers Island, *Régis Jauffret*
P4019. Le Pays du lieutenant Schreiber, *Andreï Makine*
P4020. Infidèles, *Abdellah Taïa*
P4021. Les Fidélités, *Diane Brasseur*
P4022. Le Défilé des vanités, *Cécile Sepulchre*
P4023. Tomates, *Nathalie Quintane*
P4024. Songes de Mevlido, *Antoine Volodine*
P4025. Une terre d'ombre, *Ron Rash*
P4026. Bison, *Patrick Grainville*
P4027. Dire non, *Edwy Plenel*
P4028. Le Jardin de l'aveugle, *Nadeem Aslam*
P4029. Chers voisins, *John Lanchester*
P4030. Le Piéton de Hollywood, *Will Self*
P4031. Dictionnaire d'anti-citations. Pour vivre très con et très heureux, *Franz-Olivier Giesbert*
P4032. 99 Mots et Expressions à foutre à la poubelle
Jean-Loup Chiflet
P4033. Jésus, un regard d'amour, *Guy Gilbert*
P4034. Anna et mister God, *Fynn*
P4035. Le Point de rupture, *Marie-Lise Labonté*
P4036. La Maison des feuilles, *Mark Z. Danielewski*
P4037. Prairie, *James Galvin*
P4038. Le Mal napoléonien, *Lionel Jospin*
P4039. Trois vies de saints, *Eduardo Mendoza*
P4040. Le Bruit de tes pas, *Valentina D'Urbano*
P4041. Clipperton. L'Atoll du bout du monde
Jean-Louis Étienne
P4042. Banquise, *Paul-Émile Victor*
P4043. La Lettre à Helga, *Bergsveinn Birgisson*
P4044. La Passion, *Jeanette Winterson*
P4045. L'Eau à la bouche, *José Manuel Fajardo*
P4046. Première Personne du singulier
Patrice Franceschi
P4047. Ma mauvaise réputation, *Mourad Boudjellal*
P4048. La Clandestine du voyage de Bougainville
Michèle Kahn
P4049. L'Italienne, *Adriana Trigiani*